Caballeros
y Castillos

Silver Dolphin
en español

Concepto y producción de Weldon Owen Pty Ltd
61 Victoria Street, McMahons Point
Sydney, NSW 2060, Australia

Copyright © 2007 Weldon Owen Inc.

Editor del proyecto Lachlan McLaine
Diseño John Bull, The Book Design Company
Diseñadores de la portada Gaye Allen, Kelly Booth y Brandi Valenza
Traducción Pepe de Alba/Arlette de Alba

Importado, publicado y editado en español en 2008 por
/ Imported, published and edited in Spanish in 2008 by:
Silver Dolphin en español,
un sello editorial de / an imprint of
Advanced Marketing, S. de R.L. de C.V.
Calz. San Francisco Cuautlalpan 102 Bodega "D"
Col. San Francisco Cuautlalpan
Naucalpan, Estado de México, C.P. 53569 México

Título Original / Original Title: Insiders Caballeros y Castillos / Insiders Knights & Castles

ISBN: 978-970-718-714-6

Fabricado e impreso en China / Manufactured and printed in China
10 9 8 7 6 5 4 3 2 1

▶in*siders*

Caballeros y Castillos

Philip Dixon

Silver Dolphin
en español

Contenido

in*troducción*

en*foque*

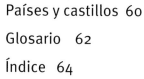
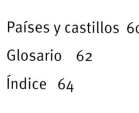

in*troducción*

Los caballeros de la
Edad Media

Durante siglos, los caballeros fueron los soldados más poderosos y se hallaban entre las personas más importante de Europa. Estuvieron en apogeo casi 500 años durante la Edad Media (también conocida como época medieval), desde el siglo XI hasta el siglo XVI. La sociedad en la Edad Media era como una pirámide. Cada caballero servía a un barón o a un conde, quien a su vez mantenía sus posesiones otorgándole lealtad y el servicio de sus caballeros al rey. Los primeros caballeros eran únicamente soldados a caballo que servían a los señores locales. Pero a estos señores, que generalmente tenían mucho territorio y poco dinero, se les dificultaba mantener adecuadamente equipados a sus caballeros. Así que les dieron tierras en lugar de mantenerlos. Los caballeros se convirtieron en señores con tierras, y la gente de sus posesiones pagaba una renta y trabajaba para ellos.

La pirámide social

Casi todas las personas en la Europa medieval vivían bajo un acuerdo social muy estricto llamado feudalismo. Los reyes estaban en la cúspide, los barones y sus caballeros se hallaban debajo y los campesinos y siervos hasta la base. Todos estaban conectados por un complejo sistema de derechos y obligaciones, algunos de los cuales se ilustran aquí.

El caballero de deslumbrante armadura
Con frecuencia pensamos en los caballeros como figuras románticas y aventureras, siempre listos para cabalgar al rescate, y así es exactamente como a los caballeros les gustaba considerarse. Este dibujo inglés del siglo XIV representa a un caballero hiriendo a un dragón.

Ciudades y pueblos *La sociedad urbana era una copia en miniatura del mundo afuera de las murallas de la ciudad: el alcalde gobernaba, con un consejo de ricos comerciantes (como los barones), y los trabajadores y los artesanos les pagaban rentas. Los reyes generalmente no interferían pero recibían pagos a cambio de privilegios.*

Los barones *Esta clase de nobles otorgaba tierras a los caballeros. A cambio de ello, el caballero juraba lealtad a su barón y prometía ayudarlo en tiempos de guerra. Los barones generalmente vivían en elegantes castillos.*

Los caballeros *Algunos caballeros eran mercenarios que combatían solamente por dinero, pero la mayoría tenía tierras otorgadas por un barón a cambio de lealtad y servicio en las batallas. A diferencia de los barones, el título de caballero no se heredaba de padre a hijo.*

El rey Hoy en día ningún individuo tiene algo parecido al poder de un rey medieval. El rey otorgaba tierras y privilegios a los barones, quienes podían pasarlos a sus herederos. A cambio, los barones juraban lealtad al rey y le proporcionaban soldados.

La Iglesia La institución que poseía más tierras en Europa era la Iglesia, propietaria de casi un tercio del territorio. Sus abades y obispos estaban entre los barones más importantes. La Iglesia y el Estado, encabezados por el rey, estaban normalmente unidos, pues los dos necesitaban paz y prosperidad.

El Papa El Papa era la cabeza de la Iglesia y tenía que aprobar el nombramiento de obispos, abades e incluso de reyes. A veces esto ocasionaba conflictos amargos, especialmente en la elección de los obispos.

Los obispos Estos líderes religiosos estaban entre los barones más ricos. Tenían sus propias tierras y caballeros.

Diezmo Un impuesto de la décima parte de los alimentos producidos por los granjeros cada año, se entregaba a la Iglesia, que utilizaba este ingreso para pagar salarios y mantener sus construcciones.

Los cruzados Cuando un caballero o un barón, o en ocasiones hasta el rey, decidían ir a una Cruzada, sus tierras eran protegidas y sus rentas se mantenían a salvo. Ellos esperaban la salvación mediante sus acciones, especialmente si morían en Tierra Santa.

Granjeros, trabajadores y siervos Casi todas las personas vivían y trabajaban en tierras que pertenecían a los caballeros y a los barones. A cambio, les entregaban su trabajo y pagaban renta con dinero o con algo de los alimentos que producían. La mayoría estaban atados a la tierra y no podían mudarse.

Los caballeros de las
Cruzadas

A finales del siglo XI se volvió casi imposible para los peregrinos visitar Jerusalén y Tierra Santa, en donde hoy en día se encuentran Israel y Palestina. Así que el Papa convocó a una guerra para recuperar los lugares santos de manos de los musulmanes, que habían controlado el territorio más de 400 años. Se alentaba a los hombres a convertirse en cruzados con la promesa de que Dios perdonaría sus pecados y de que sus derechos sobre su tierra serían respetados durante su ausencia. En los 200 años siguientes, hubo cinco grandes Cruzadas. Los cruzados recuperaron Jerusalén e instalaron un Reino Cristiano, pero con el tiempo los musulmanes expulsaron a los cruzados y recuperaron las ciudades sagradas bajo el mando de Saladino y más tarde encabezados por el sultán Baibars.

La misión de los caballeros
Los cruzados portaban la misma armadura que en su lugar de origen, a pesar de las altas temperaturas en el Medio Oriente. La mayoría mantuvo su propio escudo de armas pero otros se agruparon para formar órdenes sagradas de guerreros y plasmaron una cruz en sus escudos y capas.

Ejército en marcha *Los ejércitos de las Cruzadas vivían de la tierra por donde iban viajando. Muchas comunidades en el camino a Jerusalén quedaron devastadas después de que miles de hombres hambrientos pasaron por ahí.*

El viaje más largo
Algunos cruzados viajaron desde lugares tan lejanos como Irlanda e Islandia.

Mares peligrosos *En el mar, los cruzados eran vulnerables a los piratas y muchos fueron enviados como esclavos a los reinos de las costas africanas.*

Las rocas que quedaron atrás
El castillo de Sidón en Líbano, construido para salvaguardar el puerto vecino, es un buen ejemplo de fortaleza de los cruzados. La captura de castillos como éste en el siglo XIII marcó el final de los reinos de los cruzados.

El Rey Luis iza las velas

San Luis (el rey Luis IX de Francia) encabezó dos Cruzadas, y ambas fracasaron. En este dibujo se le representa embarcando para su segunda Cruzada en 1270, desde el puerto de Aigues Mortes en Francia.

Defensores del Oriente

Los caballeros de las Cruzadas pelearon muchas batallas sangrientas contra los soldados musulmanes que defendían su territorio de los invasores. Estos guerreros provenían de diferentes grupos étnicos, pero formaron un ejército integrado en respuesta a la amenaza de los cruzados.

Constantinopla *Capital del Imperio Bizantino, Constantinopla era la ciudad más grande y próspera de la Europa medieval. La religión en el Imperio Bizantino era la rama griega ortodoxa del Cristianismo.*

Los reinos cruzados *En su apogeo, los reinos cruzados (la zona coloreada en púrpura) ocuparon el territorio que hoy en día corresponde a Israel, Palestina, el oeste de Siria, parte de Jordania y las áreas curdas de Turquía y Armenia.*

Jerusalén *Ciudad sagrada para judíos, cristianos y musulmanes, Jerusalén era el objetivo último de los peregrinos cristianos. Una vez bajo su control, los cruzados mantuvieron abierta la ciudad para el acceso únicamente de los cristianos.*

El viaje a Jerusalén

La mayoría de los cruzados provenían de los grandes reinos de Europa, como Inglaterra, Francia y Alemania, pero las tropas llegaban de todos lados. Los pobres caminaban a través de Constantinopla (ahora llamada Estambul, en Turquía), mientras que los ricos señores viajaban en barcos. Muchos de los cruzados nunca regresaron a casa.

Caballeros y soldados
en batalla

A diferencia de los ejércitos modernos, los caballeros no entrenaban juntos. Practicaban únicamente en grupos domésticos y durante los torneos. Por esta razón, la táctica de batalla era bastante simple: un grupo de caballeros arremetía contra el ejército oponente. El impacto de una carga armada era enorme, pero una vez comenzada era difícil de detener y los caballeros podían cargar contra el enemigo y salir del campo de batalla todos juntos. Si se los emboscaba por un costado, eran vulnerables porque girar a los caballos durante una carga masiva era casi imposible. El ganador era casi siempre el ejército que resistía la carga en reserva y atacaba cuando sus oponentes estaban atascados luchando contra la infantería o los arqueros.

Infantería

Junto con los caballeros y los arqueros, los ejércitos necesitaban soldados a pie para luchar en la batalla. En un principio, los soldados de la infantería eran granjeros comunes forzados al servicio, pero durante las grandes guerras posteriores al año 1300, los soldados de infantería de carrera, mejor armados y entrenados, fueron más comunes.

La batalla comienza

No siempre el ejército más grande ganaba la batalla. Las tácticas astutas eran más importantes que la fuerza en número. En esta batalla el ejército azul está atacando al ejército rojo, que parece vulnerable. Pero la mayor parte del ejército rojo estaba escondida entre los árboles y ahora ataca por un flanco a los azules.

Campamento señuelo *Las tiendas ofrecen un blanco para el ejército azul. Están protegidas por una valla y por ballesteros para frenar y desviar la avanzada.*

Caballeros a la carga *Los caballeros cargan a la cabeza del ejército azul, esperando aplastar al escaso ejército rojo.*

Carnada *Un grupo de caballeros sobre una colina, protegidos por piqueros, fingía ser el ejército rojo principal.*

HERRAMIENTAS DE GUERRA

La infantería podía luchar con cualquier arma disponible, hasta horquillas de labranza. Los hombres de armas profesionales escogían el arma de acuerdo con sus habilidades. Si podían pagarla, una espada era lo mejor, pero los martillos y mazos eran buenos para derribar a los caballeros con armaduras de placas.

Rodela (arriba)
Escudo (derecha)

Martillo de guerra

Mazo

Hacha de batalla

Mazo de cadena

Daga y funda

Arquero
Los arqueros eran parte esencial de cualquier ejército, pero tenían muy poca protección si eran alcanzados.

Ballesta diabólica
La ballesta fue prohibida dos veces por el Papa por no ser deportiva, pero esto no impidió su popularidad durante la Alta Edad Media.

Lluvia de flechas *Los arqueros se mantenían a salvo en la retaguardia, disparando hacia arriba en el aire para separar a la masa del ejército azul y causar confusión.*

Ataque sorpresa *Una vez que los azules están comprometidos en la carga, el oculto ejército rojo ataca por el flanco y lo más probable es que derrote al enemigo.*

En la pelea *La infantería corre detrás de los caballeros, lista para la lucha mano a mano si las líneas del ejército rojo se rompen.*

La última llamada
de los caballeros

Las tácticas y la tecnología de la guerra fueron cambiando gradualmente durante la Edad Media. Las flechas disparadas desde poderosos arcos hicieron que las armaduras de malla de metal resultaran inservibles, así que dieron paso a pesadas armaduras de acero que cubrían todo el cuerpo. Esta armadura era costosa hasta la ruina. Eventualmente, muchas batallas decisivas fueron ganadas por numerosos y hábiles soldados de infantería con armas ligeras, que utilizaban arcos, largas lanzas, y más tarde, arcabuces para vencer a los caballeros pesadamente acorazados. Hacia el final del siglo XV era común que los caballeros alejaran a sus caballos de las batallas y pelearan a pie. Por último, los que alguna vez fueron invencibles caballeros desaparecieron por completo del campo de batalla.

Un nuevo trato para los caballeros

Los cambios sociales también contribuyeron a la decadencia de los caballeros. Para muchos caballeros era mejor pagar un impuesto especial al rey que arriesgar sus vidas en la batalla. Con los impuestos, el rey podía pagar un ejército de hábiles mercenarios mientras los caballeros disfrutaban de una buena vida.

NUEVAS ARMAS DE GUERRA

Para el final del periodo medieval, hasta la armadura más resistente podía ser penetrada por una saeta lanzada por una poderosa ballesta, o un proyectil disparado por una pistola rudimentaria, de modo que un soldado con pocas semanas de entrenamiento podía vencer a un poderoso caballero.

Ballesta de malacate, siglo XV

Arcabuz de mecha, finales del siglo XV

Un digno rival de los caballeros

Esta escena muestra una carga de caballería enfrentándose a hábiles piqueros. Los piqueros se han agrupado en apretadas formaciones, protegidos con sus largas lanzas, y obligan a los caballeros a avanzar por estrechos caminos entre las formaciones. Hay arqueros con alcance detrás de los piqueros, y los caballeros quedan desmontados y vulnerables.

La necesidad de
Castillos

Los castillos eran los hogares fortificados de los señores en las sociedades feudales. En un principio fueron construidos para asegurar las posesiones en el territorio conquistado, pero durante siglos sirvieron para mantener el poder de los señores en tiempos de paz tanto como en la guerra. Durante la Edad Media, las alianzas podían cambiar rápidamente, y el castillo era un refugio para el señor y los suyos si eran atacados. Un castillo también era la base de las campañas militares de los señores. En tiempos de paz, el castillo era un centro de administración e industria, y un intimidante símbolo del poder y la riqueza para los arrendatarios del señor.

CÓMO FUNCIONA UN PUENTE LEVADIZO

Un punto débil de los castillos era la entrada, generalmente protegida por un puente levadizo, que podía ser levantado con un malacate por los guardias que se encontraban en un cuarto superior.

Cerrada de golpe Si era necesario, una pesada reja llamada rastrillo podía bajarse en un instante.

Acceso denegado Debajo del puente levadizo había un profundo hoyo o un foso lleno de agua.

Un castillo ideal

Si disponían de un sitio plano, los constructores de castillos se inclinaban por un diseño simétrico y defensivo a profundidad, para que desde cualquier lugar del castillo se tuviera una vista que alcanzara lo más lejos posible hacia el exterior. De esta manera los arqueros podían colocarse en varios niveles, desde donde atacaban al enemigo que se encontraba afuera. El resultado era un castillo concéntrico, lo que proporcionaba mayor fuerza pero con un espacio limitado en el interior.

Patio exterior *El patio exterior albergaba los establos, talleres y edificios administrativos para los inquilinos del señor.*

Barrera de agua *Un foso lleno de agua era casi siempre la primera línea de defensa. El foso frustraba las tentativas de los atacantes de acercarse a la muralla o abrir un túnel debajo de ella.*

Vista de pájaro
Los arqueros utilizaban las torrecillas para tener una vista que dominaba todo el castillo y los campos exteriores.

Torre de tambor
Enormes torres cilíndricas le daban protección y tenían habitaciones útiles en su interior para alojarse.

Muro exterior *La muralla exterior tenía una altura de aproximadamente 9 metros y estaba dominada por las torres y el muro del patio de armas.*

Patio de armas *El patio interior era la parte principal del castillo, y contenía el salón principal, la alcoba, la capilla y la cocina para el señor.*

Escalera
El acceso entre los pisos era casi siempre por escaleras en espiral, generalmente construidas para dar ventaja a un defensor diestro.

Preparados para los problemas
Las troneras de madera permitían a los arqueros disparar contra sus enemigos que se encontraban en la base de la muralla. Se guardaban en un almacén hasta que se necesitaban.

Los castillos a través del tiempo

Hay castillos por toda Europa, en algunas partes del Medio Oriente y en Japón. La construcción de castillos alcanzó su apogeo en diferentes momentos según el lugar. Los castillos más impresionantes de la Baja Edad Media fueron construidos en el mundo musulmán. En Japón se construyeron castillos mucho después de que tuvieran su apogeo en Europa. Hay castillos de todas las formas y tamaños, dependiendo de cuándo fueron construidos, su propósito, los materiales de la región y los estilos de construcción. La gente que construyó estas magníficas estructuras ya ha desaparecido, pero muchos castillos permanecen, como un recordatorio de un pasado turbulento.

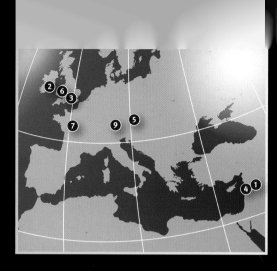

Mapa de los castillos
Los castillos aparecieron en sociedades donde los gobernantes locales mantenían el poder, incluyendo la mayoría de Europa y parte del Medio Oriente y Asia. Este tipo de sociedades, llamadas generalmente feudales, contrastaban con los grandes estados, imperios y sociedades tribales, donde los castillos eran escasos.

De todas las formas y tamaños

Se construyeron castillos de madera, ladrillo o piedra, y podían ser suntuosos o modestos. Lo que todos tenían en común eran las estructuras defensivas para mantener afuera las fuerzas hostiles.

1
Siglo VIII: Castillos islámicos
Qasr al-Hayr, Siria
Entre los castillos del mundo musulmán se encuentran los que servían para proteger las rutas comerciales y cientos de castillos construidos por los moros en España y Portugal.

2
Siglo XI: Monte, muralla y patio
Castillo Knockgraffon, Irlanda
Los castillos de madera se extendieron por Europa durante los siglos XI y XII. Era usual que tuvieran la forma de un monte de tierra y un patio (una explanada fortificada).

3
Siglo XII: Torreones de piedra
Castillo de Rochester, Inglaterra
Empezando por los reyes, los señores comenzaron a remplazar sus castillos de madera por bloques de piedra, generalmente con torres altas e impresionantes para reflejar su estatus.

4
Siglos XII y XIII: Los castillos de los cruzados
Krak des Chevaliers, Siria
Las amenazas constantes forzaban a los cruzados a construir fortalezas cada vez más imponentes. Para el año de 1200 sólo los señores principales podían darse el lujo de construirlas, y la mayoría eran fundadas por órdenes sagradas de caballeros.

500 D.C.

600

700

800

900

1000

1100

1200

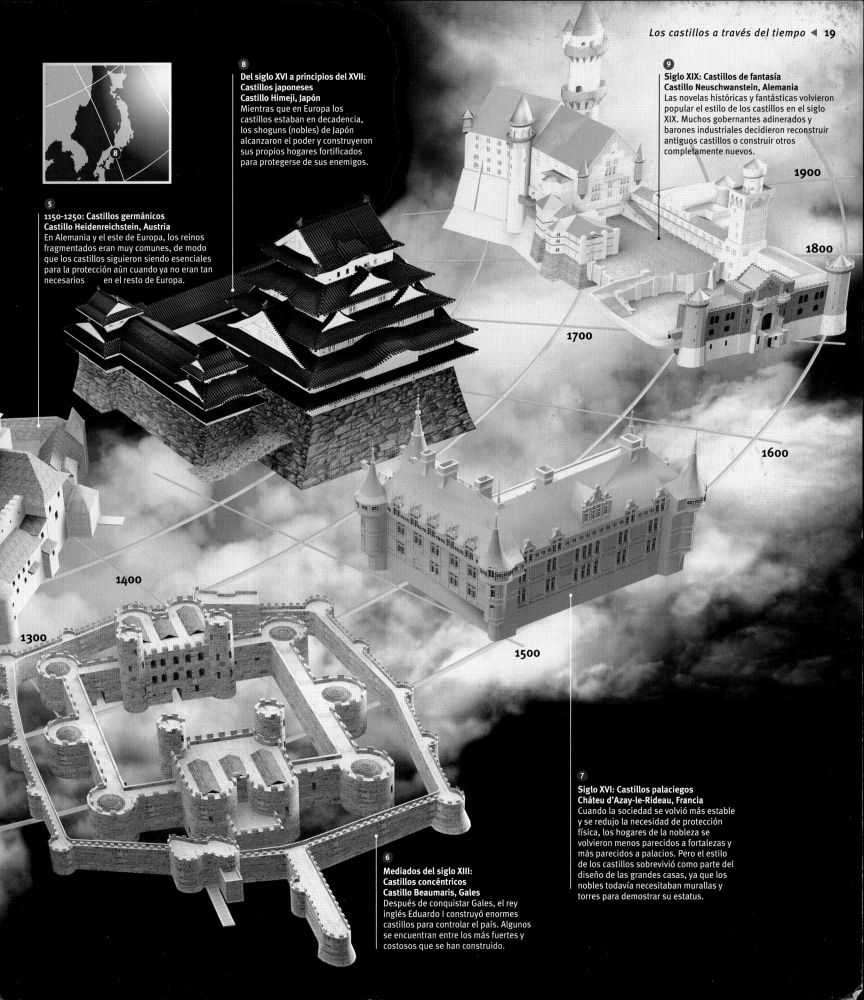

8

Del siglo XVI a principios del XVII: Castillos japoneses
Castillo Himeji, Japón
Mientras que en Europa los castillos estaban en decadencia, los shoguns (nobles) de Japón alcanzaron el poder y construyeron sus propios hogares fortificados para protegerse de sus enemigos.

9

Siglo XIX: Castillos de fantasía
Castillo Neuschwanstein, Alemania
Las novelas históricas y fantásticas volvieron popular el estilo de los castillos en el siglo XIX. Muchos gobernantes adinerados y barones industriales decidieron reconstruir antiguos castillos o construir otros completamente nuevos.

5

1150-1250: Castillos germánicos
Castillo Heidenreichstein, Austria
En Alemania y el este de Europa, los reinos fragmentados eran muy comunes, de modo que los castillos siguieron siendo esenciales para la protección aún cuando ya no eran tan necesarios en el resto de Europa.

1900

1800

1700

1600

1400

1500

1300

7

Siglo XVI: Castillos palaciegos
Cháteu d'Azay-le-Rideau, Francia
Cuando la sociedad se volvió más estable y se redujo la necesidad de protección física, los hogares de la nobleza se volvieron menos parecidos a fortalezas y más parecidos a palacios. Pero el estilo de los castillos sobrevivió como parte del diseño de las grandes casas, ya que los nobles todavía necesitaban murallas y torres para demostrar su estatus.

6

Mediados del siglo XIII: Castillos concéntricos
Castillo Beaumaris, Gales
Después de conquistar Gales, el rey inglés Eduardo I construyó enormes castillos para controlar el país. Algunos se encuentran entre los más fuertes y costosos que se han construido.

La construcción
de un castillo

Construir un castillo era un gran trabajo. Se requerían docenas de canteros, junto con carpinteros, herreros y trabajadores: llegaban a ser 500, o más para proyectos urgentes, todos bajo las órdenes de un maestro albañil. Normalmente tomaba unos 10 años construir un castillo, o más si el dinero se agotaba, lo que sucedía a menudo. En la mayor parte de Europa el trabajo tenía que detenerse durante el invierno porque las heladas dañaban el mortero e impedían que se solidificara. Mientras esperaban la primavera, los canteros tallaban piedra en cobertizos de trabajo, preparándose para el siguiente año. El resto de la fuerza de trabajo regresaba a casa.

Construcciones laboriosas

De muchas maneras, el sitio de construcción de un castillo no era muy diferente de su equivalente moderno. Tal vez la mayor diferencia consista en que en la Edad Media todo se hacía únicamente con el poder del músculo.

Grúa de rueda de molino *Los pesados bloques se levantaban con una grúa que utilizaba una rueda de andar accionada por humanos.*

Canteros *Con martillos y cinceles, los canteros o albañiles cortaban y pulían los duros bloques de piedra para que ajustaran perfectamente en su lugar. Utilizaban plantillas de madera y plomo para que las formas correspondieran.*

Haciendo mortero *El mortero medieval estaba hecho con cal quemada que se humedecía en hoyos y después era mezclada con arena.*

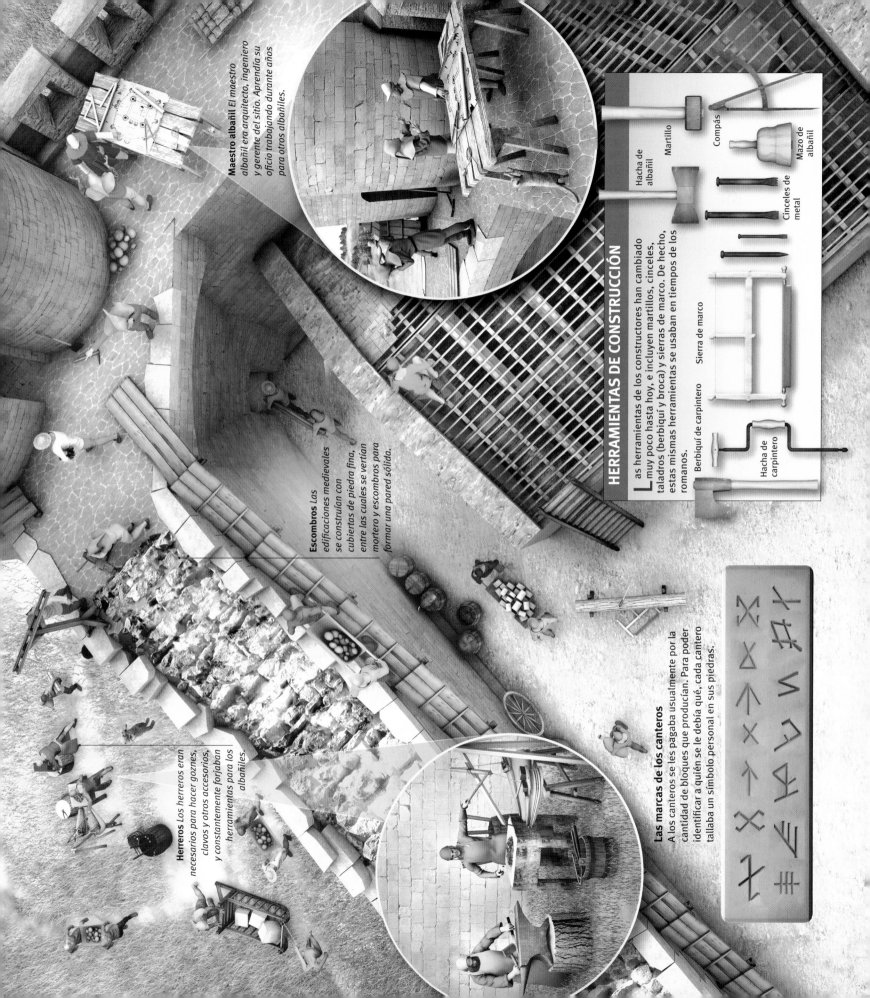

Maestro albañil *El maestro albañil era arquitecto, ingeniero y gerente del sitio. Aprendía su oficio trabajando durante años para otros albañiles.*

Escombros *Las edificaciones medievales se construían con cubiertas de piedra fina, entre las cuales se vertían mortero y escombros para formar una pared sólida.*

Herreros *Los herreros eran necesarios para hacer goznes, clavos y otros accesorios, y constantemente forjaban herramientas para los albañiles.*

HERRAMIENTAS DE CONSTRUCCIÓN

Las herramientas de los constructores han cambiado muy poco hasta hoy, e incluyen martillos, cinceles, taladros (berbiquí y broca) y sierras de marco. De hecho, estas mismas herramientas se usaban en tiempos de los romanos.

Hacha de albañil

Martillo

Compás

Cinceles de metal

Mazo de albañil

Berbiquí de carpintero

Sierra de marco

Hacha de carpintero

Las marcas de los canteros

A los canteros se les pagaba usualmente por la cantidad de bloques que producían. Para poder identificar a quién se le debía qué, cada cantero tallaba un símbolo personal en sus piedras.

Asedio
a un castillo

Gran parte de las campañas medievales consistían en conquistar castillos. Ningún ejército invasor podía controlar una zona sin controlar sus castillos. No podían ignorarlos y marchar de largo, por temor a ser atacados por la retaguardia más adelante. Había dos formas básicas de que un ejército tomara un castillo. La primera era entrar y someter a sus habitantes. Entrar significaba o bien abrirse paso hasta el interior, o escalar sobre las murallas. La segunda forma consistía en rodear el castillo y privar de comida a los habitantes hasta que se rindieran. Esto podía llevar meses.

Tierra quemada *Cuando los habitantes del castillo se enteraban de que el enemigo estaba cerca, rápidamente quemaban sus casas y graneros, y eliminaban todo lo que pudiera ayudar a los sitiadores, incluyendo las reservas de comida y madera.*

Comienza el sitio

En esta ilustración el ejército atacante está montando un asalto con arqueros, máquinas de asedio y una torre de sitio. Si el ataque inicial falla y los defensores no se rinden, podría ser el principio de un prolongado sitio.

Demolición *Tres o cuatro impactos de los proyectiles de una catapulta en el mismo lugar eran suficientes para destruir la parte superior de un muro. La impresión de los impactos a veces bastaba para desmoralizar a los defensores.*

Refugio *Mamparas de madera y mimbre permitían a los arqueros atacantes acercarse a los muros del castillo.*

Onagro *El onagro no era tan preciso o poderoso como el mandrón, pero era más fácil de construir y maniobrar.*

MÁQUINAS DE BATALLA

Como sucede hoy en día, parte de la tecnología más sofisticada de la Edad Media se desarrolló para librar la guerra.

Onagro
Estas catapultas eran impulsadas por la tensión de cuerdas enroscadas de crin o de tendón. Podían lanzar un proyectil a 200 metros de distancia.

Torre de sitio
Las torres de sitio más grandes eran tan altas como un edificio de 10 pisos y podían llevar docenas de arqueros y varias catapultas.

Sobre la cima *Sin importar qué tan destructivo fuera el ataque con máquinas de asedio, la única manera de tomar un castillo era mediante un asalto a través de la puerta o sobre las murallas. Las torres de sitio cargadas de tropas se utilizaban para abrirse paso en las paredes.*

Cubiertos con tablas *Las vallas de madera con troneras aseguraban que las bases de los muros no fueran seguras para los atacantes, pero eran vulnerables a las flechas con fuego y a las máquinas de asedio.*

MANDRÓN

Los proyectiles más grandes eran lanzados por mandrones, que utilizaban contrapesos y vigas en goznes grandes. Los experimentos han demostrado que podían lanzar piedras de 135 kgs. de peso hasta una distancia de 365 metros. Sin embargo, estas máquinas necesitaban atención constante para evitar que se desarmaran.

1 El mandrón está listo.

2 El mandrón es accionado y cae el contrapeso.

3 El proyectil es lanzado por la honda.

4 El mecanismo regresa a su posición normal.

Ataque y
defensa

Durante la Edad Media, los diseños de los castillos evolucionaron constantemente, consiguiendo firmes mejoras en la seguridad del castillo. Pero con cada avance en la defensa venían una nueva táctica brillante o ingeniosas piezas tecnológicas para derrotarla. Por eso, las batallas de asedio eran muy reñidas y se peleaban ferozmente. Cuando ocurrían los sitios, cada bando utilizaba todas las técnicas para vencer las del adversario, como proyectiles, arquería, arietes, fuego, túneles y hasta derribar las paredes utilizando picos. Incluso el castillo más fuerte podía ser tomado sin alguna fuerza directa, sobornando a las tropas para que se rindieran, o engañando a los habitantes del castillo para que pensaran que sus aliados los habían abandonado.

Entrar a la fuerza

La garita principal estaba diseñada para permitir el paso de carretas y carros, así que los atacantes la consideraban un lugar obvio para intentar entrar. Sin embargo, los diseñadores de castillos y los defensores tenían algunos trucos para mantenerlos afuera.

Dando el empujón
El uso de escaleras por parte de los atacantes era una de las maneras más peligrosas (pero más directas) de capturar un castillo. Los defensores utilizaban largos postes para empujarlas.

Bombas rocosas Las piedras redondas volaban más lejos y eran más precisas.

De la caldera Desde arriba se vertían ollas con aceite hirviendo contra los atacantes.

Ollas encendidas Estas flamantes ollas de barro se rompían al momento del impacto, esparciendo el fuego.

Muerte en camino Los cadáveres de animales eran utilizados como un tipo de arma biológica.

Lluvias mortales *Agua hirviendo, o aceite si lo había, se derramaban desde arriba por huecos en las murallas llamados mechinales.*

Rastrillo *Este pesado portón de madera y metal era la última línea de defensa.*

Tácticas para hacer un túnel *Los mineros tenían que estar atentos contra los túneles hechos por los soldados del castillo. Si los túneles se encontraban, probablemente habría una fiera batalla bajo tierra.*

Minar *Si el castillo no estaba construido sobre roca, los mineros cavaban túneles debajo de los cimientos. Los túneles se utilizaban para ataques sorpresa o se prendía fuego a los puntales para derribar los muros que estaban sobre ellos.*

El castillo en tiempos
de paz

Muchos castillos nunca eran puestos a prueba por un sitio, y normalmente todos eran lugares de actividades pacíficas. Como eran los hogares de los nobles y la realeza, todas las actividades que disfrutaban las clases acomodadas se realizaban en el castillo o su alrededores, desde los banquetes hasta los bordados, y desde el entrenamiento militar hasta los cortejos. Como centros de poder, ahí tenían lugar el gobierno, la política y las conspiraciones. En el castillo se administraban las tierras del señor y se recolectaban las rentas, y ahí se localizaban los talleres de los carpinteros y los herreros de la propiedad. Detrás de las fuertes murallas estaban resguardados documentos importantes y oro.

Adentro y afuera

Aunque eran fortalezas en su exterior, los castillos estaban diseñados en su interior para ser los confortables e impresionantes hogares de los gobernantes de las tierras, y un lugar funcional de trabajo para mucha gente ocupada.

Capilla
Los servicios religiosos diarios eran una parte importante de la vida, y había capillas para que todos asistieran. La familia noble tenía una capilla privada para su culto.

Manteniendo la guardia *Aun en tiempos de paz, la entrada del castillo estaba estrictamente controlada. Defenderse de los ladrones era la principal preocupación.*

Un lugar para ir *Los baños estaban construidos entre el espesor de las murallas y descargaban en fosas sépticas o en el exterior de la base del muro.*

Durmiendo afuera
Cuando el señor residía en el castillo, algunos de sus ocupantes tenían que hospedarse afuera, en cabañas o posadas que se encontraban en las aldeas cercanas al castillo.

Talleres
Los talleres, generalmente en el patio exterior, alojaban a trabajadores que elaboraban muebles, barriles, herrería y cualquier cosa necesaria para los habitantes del castillo.

Cocina
Un castillo que albergaba a un señor y a su familia podría tener que acomodar de 200 a 300 personas, y la cantidad de comida necesaria era enorme, así que las cocinas eran muy grandes.

Guarnición *Los soldados dormían y guardaban su equipo en la guarnición. En tiempos de paz se mantenía sólo a una docena de soldados, para ahorrarse los salarios.*

Los aposentos
El señor y su familia ocupaban un pequeño conjunto de cuartos privados, aislados del resto del castillo por puertas con guardias y escaleras en espiral.

Pozos *El abastecimiento constante de agua fresca era vital y normalmente era provisto por pozos con profundidades de hasta 90 metros bajo la superficie.*

Justicia ruda *Los castigos eran inmediatos: para crímenes graves, la muerte; para crímenes menores, la picota, donde la gente arrojaba excremento o vegetales podridos contra el delincuente.*

AMOR CORTÉS

El matrimonio era una manera importante de construir alianzas y mantener el poder para las familias nobles. Los cortejos era un asunto formal, con chaperones y casamenteros. Poetas, pintores y cantantes idealizaban el concepto del amor romántico, pero en realidad los matrimonios se pactaban para obtener los mejores beneficios políticos y económicos. Las mujeres perdían la mayoría de sus derechos una vez que se casaban. Los pobres, sin embargo, con mucho menos que perder, tenían mayor libertad para casarse con quien desearan.

La gente del castillo:
quién es quién

Sólo un pequeño grupo de personas vivía en el castillo todo el año, incluyendo al portero o guardián, y unos cuantos soldados. Eran supervisados por el condestable, quien podía vivir donde quisiera pero tenía habitaciones en el castillo. El mayordomo tenía su oficina en el castillo, pero sus obligaciones lo llevaban por toda la propiedad. Cuando el señor estaba ahí, el castillo alojaba a su séquito de sirvientes, muchos de los cuales viajaban a todos lados con la familia. Más de doscientas o trescientas personas tenían que alojarse en el castillo o en los pueblos y aldeas vecinos.

El personal del castillo
Aquí están ilustrados algunos de los funcionarios, sirvientes y hombres de armas que cuidaban del señor y su familia, y eran generalmente llamados "la corte" del señor.

Familia noble *La familia y los hijos eran el centro de la vida de la nobleza. Los hijos heredaban las tierras y las hijas eventualmente se casaban con las familias de aliados importantes.*

Estercolero *Tenía uno de los peores trabajos en el castillo: limpiar y sacar los desechos de las letrinas y las fosas sépticas.*

Mayordomo *El mayordomo o administrador se encargaba de la propiedad y se aseguraba de que toda la corte funcionara organizadamente.*

Cocinero
El cocinero, que generalmente era un hombre, estaba a cargo de hasta 20 personas en la cocina.

Azafata *La sirvienta de la dama se aseguraba de que la señora tuviera ropa limpia, cuidaba de su cabello y apariencia, y era su acompañante en todo momento.*

Sacerdote *Todos los castillos tenían un sacerdote o capellán, que oficiaba misas diarias en la capilla del castillo para toda la corte.*

Condestable *El condestable controlaba las defensas del castillo. Generalmente tenía habitaciones en la garita, para observar a todos los que iban y venían.*

Prisionero *Algunas veces los castillos tenían una mazmorra donde encerraban a los criminales comunes, pero algunos prisioneros eran personas importantes, incluso reyes, que eran retenidos hasta que pagaran su rescate y generalmente se les trataba bien.*

Soldado *La corte incluía comúnmente a 10 o 20 soldados entrenados, algunos de los cuales permanecían ahí durante todo el año, mientras que otros viajaban con el señor en sus salidas.*

Arquero *La mayoría de los castillos contaban con un grupo de arqueros entrenados en sus guarniciones. En tiempos de guerra, muchos más eran convocados de las granjas cercanas.*

Barbero *El barbero cortaba el cabello a la corte, como los barberos de hoy en día, pero también actuaba como doctor, con un poco de conocimiento de medicina popular y primeros auxilios.*

Perrero *El perrero se encargaba de cuidar a los perros de caza.*

Armero *El armero era un hábil artesano del metal que construía armas y armaduras. Para el trabajo rudo de hierro el castillo contaba con los herreros.*

Mozo *Un castillo tenía 10 o más mozos que alimentaban, cepillaban y cuidaban a los caballos.*

El trabajo en las tierras
del castillo

En la actualidad la mayoría de los castillos se encuentran en ciudades, rodeados de casas, o son ruinas vacías en colinas o bosques. Pero en la Edad Media eran el centro de grandes propiedades, con granjas para proveer de granos y frutas al castillo y aldeas donde vivían los campesinos. La mayoría de la gente en la Edad Media trabajaba la tierra, y sus vidas giraban en torno a los cambios de estación. Los campesinos eran inquilinos del señor del castillo. Cortaban leña, sembraban los campos y hacían otros trabajos para el señor, como servirle de soldados o construirle graneros y establos. La riqueza del señor provenía casi exclusivamente de las rentas que estos campesinos pagaban y de la venta del excedente de la lana o los alimentos que los campesinos producían.

Labores del verano

En 1420, un duque francés encargó una serie de 12 pinturas, una para cada mes, para ilustrar el cambio de las estaciones. En "Julio" se ilustra la esquila de las ovejas y la cosecha del heno a la sombra de un gran castillo.

El ciclo de las estaciones

En el norte de Europa, la agricultura giraba en torno del sistema de los tres campos. Cada año, dos campos eran cultivados y cosechados mientras que uno se dejaba en barbecho (sin cultivar) para que recuperara sus nutrientes y de esta manera estuviera listo para el año siguiente.

Invierno Durante esta estación cavaban fosas, cortaban madera, esparcían estiércol en los campos, elaboraban y reparaban herramientas, y construían cercas. Las semillas permanecían inactivas en la tierra, esperando a la primavera.

Primavera Era la temporada para arar y sembrar las semillas para la cosecha del otoño, y para cuidar a las ovejas recién nacidas.

Campo uno Esparciendo estiércol.

Campo dos Las semillas quedan inactivas en el suelo.

Campo tres Campo barbechado (se utilizaba para deportes de campo).

En guardia Los pastores mantenían al rebaño a salvo de los zorros y los ladrones.

Danza del poste de mayo La llegada de la primavera era causa de celebración.

Campo tres La tierra barbechada se ara para enterrar la hierba, que actúa como fertilizante.

Campo dos El cultivo de trigo está creciendo.

Campo uno Tierra arada y sembrada para la cosecha de otoño.

FUERTES IMPUESTOS

Normalmente los campesinos tenían que darle una cuarta parte de su cosecha al señor, un décimo a la Iglesia y dejar casi otro cuarto como semilla para la cosecha del siguiente año. No les quedaba mucho para pan.

10% para la Iglesia

25% para el señor

25% semilla para el siguiente año

40% para el campesino y su familia

Verano En verano se cosechaba el trigo, las ovejas eran despojadas de su lana y el pasto se cortaba para alimentar al ganado con heno durante el invierno.

Esquila La lana era un artículo valioso y fue la fuente de riqueza de muchos señores.

Campo tres Tierra barbechada.

Otoño El otoño era una temporada atareada. Se cosechaban la avena y la cebada, parte del ganado se llevaba al mercado o al matadero, se soltaba a los cerdos para que engordaran con las bellotas, se recolectaban miel y manzanas, y se trituraban las uvas para elaborar vino.

Cosecha de año nuevo Las uvas eran trituradas con los pies en grandes barriles.

Campo tres Campo arado y sembrado para la cosecha de trigo del siguiente verano.

Cosecha Los campesinos utilizaban hoces de hierro para cosechar los cultivos.

Campo dos Se cosecha el trigo.

Campo dos El nuevo campo barbechado.

Campo uno Los cultivos de avena y cebada se alternan con filas de frijoles y chícharos.

Campo uno Cosecha de avena y cebada, chícharos y frijoles.

El ocio en el castillo

Siempre había trabajo que hacer en el castillo y sus alrededores, pero también había tiempo para el entretenimiento. Todos los domingos eran días de descanso, y además había muchos días santos y festivales locales para divertirse. Las mujeres de la nobleza disfrutaban actividades como el bordado, la tapicería y escuchar música, mientras que los hombres cazaban o jugaban partidas de ajedrez. Los jardines eran una característica de muchos castillos y eran admirados por sus plantas y flores. Entre los deportes de equipo se incluía un rústico tipo de fútbol con docenas y hasta cientos de jugadores y casi ninguna regla.

Léelo todo
En la Baja Edad Media sólo los sacerdotes y los clérigos aprendían a leer. Pero en el siglo XV ocurrió un cambio y más gente se alfabetizó. Esta fotografía muestra un "libro de las horas" (libro de oraciones) francés dibujado a mano, de finales del siglo XV. En ese tiempo la creciente demanda de libros inspiró la creación de la imprenta.

Ajedrez en un jardín formal

Los juegos de mesa, como las damas inglesas y el ajedrez, eran muy populares. Hasta los nombres de las piezas —reyes, alfiles y caballeros—, vienen de personas de la Edad Media.

Cazadores del cielo *Los halcones y otras aves de presa cazaban al vuelo con sus afiladas garras. Las aves de caza entrenadas comían únicamente la cabeza y el cuello de la presa, el resto era comida para la mesa.*

El "deporte de los reyes"
Las clase alta disfrutaba la cacería de ciervos y jabalís con perros, y entrenaba aves de caza para atacar palomas y otras aves. Se conocía a la cetrería como "el deporte de los reyes" porque era un pasatiempo muy costoso.

Aves de prestigio *En algunos lugares únicamente los reyes, príncipes y duques podían tener halcones. Los caballeros y los plebeyos se limitaban a cazar con azores y cernícalos.*

Las presas *Sus blancos eran palomas, patos, faisanes y garzas. También los conejos y las liebres podían convertirse en presas del veloz golpe de un halcón o un águila.*

PELEAS DE GALLOS

Una de las formas más populares de entretenimiento entre las clases bajas era ver peleas de animales y apostar en ellas. Las peleas de gallos, de perros, y entre perros y osos eran particularmente populares.

Guantes resistentes *Unos gruesos guantes de piel protegían las manos del halconero de las filosas garras de las aves.*

Nacidos para pelear *Los gallos de pelea eran criados especialmente para aumentar su resistencia y fuerza.*

Espolones *A menudo se ajustaban pequeñas navajas a las patas de los gallos. Esto aseguraba que la pelea de gallos fuera una pelea a muerte.*

Banquetes y
entretenimiento

Un señor que proveía comida para su casa, huéspedes, inquilinos y viajeros era visto como noble, y si el banquete era grande, también lo era el honor. Los mejores festines tenían cientos de invitados y múltiples platillos, la mayoría de carne, pan y postres. Algunos banquetes eran para huéspedes especiales; otros se daban en intervalos regulares para los arrendatarios del campo y otros vecinos del lugar. De hecho, todas las noches que el señor estaba en casa, la corte, los visitantes y los transeúntes esperaban comer juntos en el salón del castillo. Mediante estas reuniones, el señor afianzaba la fidelidad de sus seguidores, sin la cual su poder disminuiría.

Las jerarquías en el salón

La asignación de lugares en el salón era formal. El señor y los huéspedes nobles se sentaban en la mesa alta, colocada en la parte más lejana del salón con respecto a la cocina. Los demás se sentaban en bancas frente a mesas de caballete distribuidas por todo el salón, con los pobres lo más lejos   posible de la mesa alta.

Bufón *Al igual que la música, el entretenimiento era proporcionado por los bufones, quienes danzaban, hacían adivinanzas, cantaban canciones y contaban chistes, muchos de los cuales eran vulgares.*

Trinchante *Los platos estaban reservados para los nobles. La mayoría de las personas comían de una pieza de pan viejo llamado trinchante.*

PARA HACER MÚSICA

En la mayoría de las ceremonias se tocaba música. Los grandes banquetes del salón eran amenizados con música para bailar y marchas tocadas con ruidosas trompetas de latón e instrumentos de viento de madera, acompañados con violines o flautas de caramillos. Durante las reuniones íntimas en la recámara se podían escuchar canciones de amor en el laúd o las flautas.

Trompeta

Laúd

Flauta dulce

Rabel

Chirimía

Músicos *Los trompeteros en la galería y los músicos de arpa y laúd en el salón, acompañaban el baile del bufón.*

Comida exótica *Este platillo especial, un delfín, se presenta para la inspección del señor antes de repartirlo entre los invitados. Proveer alimentos exóticos era bueno para el prestigio del señor.*

La decadencia
de los castillos

El uso de la pólvora y de los cañones complicó el diseño de los castillos, pero no causó su desaparición inmediata. Los cañones primitivos no funcionaban bien y eran tan útiles para defender a los castillos como para atacarlos. Muchos castillos demostraron ser difíciles de capturar con artillería, incluso hasta el siglo XVII. Sin embargo, construir castillos que fueran capaces de soportar los disparos de cañón era muy costoso, y llegó el momento en que ni siquiera los nobles más ricos podían pagarlos. Mientras tanto, Europa se fue estabilizando gradualmente y la necesidad de vivir detrás de fuertes murallas disminuyó. Muchos castillos se arruinaron y sus piedras fueron utilizadas para construir otros edificios.

Carbón
2 partes

Azufre
3 partes

Salitre
15 partes

Una mezcla explosiva
La pólvora es una mezcla de salitre (un mineral que se obtiene del estiércol y la orina vieja), carbón (madera parcialmente quemada) y azufre (un mineral que se extrae de las minas). La pólvora fue inventada en China hace más de mil años. Los europeos aprendieron a fabricarla en el siglo XIII... el conocimiento pasó a través de la Ruta de la Seda con los comerciantes y viajeros.

Derribando la casa
Los cañones primitivos eran más efectivos cuando disparaban a quemarropa. Los arcabuceros eran un blanco muy fácil para los defensores y generalmente eran asesinados. Se les pagaba mucho dinero para afrontar esos riesgos y usaban toda la protección que podían ingeniarse.

CAÑONES EN ACCIÓN

Los cañones primitivos generalmente estaban construidos con tubos de metal unidos por anillos. La pólvora liberaba su energía lentamente mientras se iba consumiendo, pero aun así los tubos de algunas armas de fuego primitivas explotaban al disparar. El rey de Escocia Jacobo II murió por la explosión de un cañón durante el asedio a un castillo inglés en 1460.

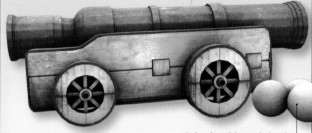

Taco **Pólvora**
Bala **Cámara**

Balas de cañón Las balas de piedra fueron más utilizadas que las metálicas porque los tubos explotaban menos con ellas.

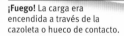

¡Fuego! La carga era encendida a través de la cazoleta o hueco de contacto.

Esta ilustración muestra un típico cañón del siglo XVI. Algunos cañones se usaban sobre tierra, así como montados en la cubierta de los barcos.

Castillo Deal

El castillo Deal no es un castillo en sí. Es un fuerte militar construido bajo las órdenes del rey Enrique VIII para proteger la costa sur de Inglaterra. Muestra cómo respondían los arquitectos al reto de la artillería. Sus plataformas de armas, bajas y redondas, desviaban los proyectiles y presentaban un blanco pequeño para los cañones atacantes.

Viviendo como un señor

Los castillos nunca fueron lugares cómodos para vivir. Cuando ya no fue necesaria la protección que otorgaban, los nobles adinerados se apresuraron a construir casas grandiosas, con todos los lujos de la época, afuera de las murallas del castillo.

Mapa localizador Este mapa de Europa muestra dónde se localizaba exactamente el castillo presentado. Busca el punto rojo en cada mapa.

Mar del Norte

INGLATERRA

Londres

París

Mont-Saint-Michel

Loira

FRANCIA

Océano Atlántico

Burdeos

Marsella

ESPAÑA

MONT-SAINT-MICHEL: LOS DATOS

CUÁNDO SE CONSTRUYÓ: La abadía se estableció en 708, las fortificaciones principales se construyeron en la década de 1420.

DÓNDE SE CONSTRUYÓ: En Normandía, Francia

QUIÉN LO CONSTRUYÓ: La orden de San Benito

MATERIALES: Granito

TAMAÑO: 4 hectáreas

Datos rápidos Los datos rápidos a la mano te dan información esencial de cada castillo que está siendo explorado.

1400 d.C.

1300 d.C.

1200 d.C.

1100 d.C.

Barra del tiempo Esta línea del tiempo muestra cuándo fue construido el castillo. La barra abarca el periodo del siglo XI al XVI (1000 a 1500 d.C.)

1000 d.C.

en*foque*

Para convertirse en
caballero

Cuando un niño que estaba destinado a ser caballero cumplía la edad de siete años, se alejaba de su familia para convertirse en paje en el castillo de un señor, que generalmente era un amigo de su padre o un tío. Cerca de los 14 años de edad, se volvía aprendiz de caballero y se le nombraba escudero. Después seguían de cinco a siete años más de entrenamiento antes de estar listo para convertirse en caballero. Como el caballo, la armadura y los sirvientes de un caballero costaban mucho dinero, sólo los hijos de las familias más ricas podían ser caballeros.

① La escuela *El capellán del castillo proporcionaba al joven paje la educación básica, que incluía algo de historia, geografía, religión y un poco de lectura y escritura... al menos para que pudiera firmar su nombre y leer las cuentas preparadas por su mayordomo cuando se convirtiera en caballero.*

② Modales en la mesa *El paje era instruido en buenos modales y servía al señor en la mesa. Si no se comportaba correctamente, podían golpearlo.*

③ Amo y sirviente *Cuando el paje se convertía en escudero, se le instruía acerca de la armadura y ayudaba a su amo a vestirse. También se esperaba que lo siguiera a las batallas.*

El gran día
Esta ilustración francesa del siglo XV muestra a dos escuderos siendo nombrados por su rey. Los cortesanos se han reunido para observar esta importante ocasión.

④ Aprender a pelear *La armadura y las armas eran muy pesadas, así que aprender a pelear requería de mucho entrenamiento físico. Los escuderos libraban peleas y batallas simuladas utilizando espadas y escudos de madera.*

5

Aprendizaje para las justas *Quizá la habilidad más importante que debían dominar era pelear montados a caballo. Los escuderos practicaban las justas utilizando una máquina hecha con un armazón de tablas. Después de golpear un escudo, tenían que evitar ser derribados por un saco en el otro extremo del brazo.*

Haciéndose hombre

El entrenamiento de caballero empezaba cuando el niño era muy joven porque se esperaba que tuviera cierto carácter al convertirse en hombre: valiente y honorable en la batalla, leal a su señor y a Dios, amable con el débil y cortés con las mujeres. Vivir así era apegarse al código de caballería.

6

Nombramiento *Cuando se juzgaba que el aprendiz había dominado las habilidades requeridas, era nombrado caballero en una ceremonia conocida como nombramiento. Después de rezar y ayunar toda una noche, el aprendiz se arrodillaba ante su señor, quien lo tocaba con su espada en los hombros y lo proclamaba caballero. En raras ocasiones, el escudero era nombrado en el campo de batalla después de realizar una valerosa hazaña.*

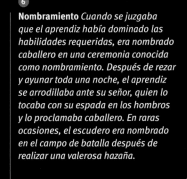

La armadura y las armas de un caballero

En las batallas, el caballero siempre utilizaba su armadura hecha de acero martillado y que pesaba hasta 25 kilogramos. Las armaduras primitivas estaban hechas de anillos entrelazados y se les llamaba cota de malla. Eran flexibles, pero las flechas podían atravesarlas. Desde el siglo XIII en adelante, se fueron agregando placas de acero unidas con broches y correas, para mayor protección. Para finales del siglo XV se usaba armadura en todo el cuerpo. Se le llamó armadura de placas, y las mejores (decoradas con oro y plata) costaban lo que podía ganar un soldado en 10 años. Las armas más comunes de un caballero eran la lanza, la espada o hacha, y algunas veces cuchillas en largos palos, llamadas picas, con ganchos para agarrar las correas de la armadura de su enemigo.

Listo para el combate

Este caballero está utilizando una armadura de placas completa. Debajo de la armadura lleva un doblete armado: una chaqueta hecha de cota de malla, tela acolchada y cuero. Las placas de la armadura se ajustan al doblete, lo que evita que la armadura pellizque su cuerpo.

COTA DE MALLA

Elaborar una cota de malla era un trabajo intrincado y laborioso. Era necesario hacer hasta 30,000 aros separados y unirlos para obtener un solo manto de cota de malla.

Espiral Primero se enrollaba un alambre pesado en una barra.

Corte Después, la espiral se cortaba con unas tijeras de mano.

Dentro del troquel Los anillos se introducían en un troquel estrecho para hacer que los extremos se traslaparan.

Círculo completo Los extremos se aplanaban a golpes, se perforaban y cerraban con un pequeño remache cuando ya estaban en su lugar.

Círculos de confianza Los aros de las cotas de malla podían unirse en diferentes patrones, pero en la Europa medieval el patrón 1 a 4 (donde cada aro estaba unido con otros cuatro) fue el más común.

Escudete de malla

Yelmo

Gorgal de malla

Espaldarón

Ristre

Avambrazo

Codal

Guantelete

Camisa de lino

Peto

Faldar de 5 articulaciones

Armadura del siglo XII
Un caballero del siglo XII utilizaba un largo manto de cota de malla, que le cubría hasta las rodillas. Generalmente llevaba un manto de tela (llamado sobreveste) sobre la armadura, especialmente en climas calurosos.

Armadura del siglo XIV
En el siglo XIV el caballero usaba una armadura de placas sobre muchas partes de su cuerpo. Cualquier área expuesta, como el cuello y la parte posterior de sus piernas, estaba protegida por cota de malla.

Zapato de piel

Media

Escarcela

Faldón de malla

Quijote

Rodillera

Greba

Escarpe

Guarnición

Canaleta

Espada
La espada era el arma favorita de los caballeros en combate cuerpo a cuerpo. Además era una preciada posesión y un símbolo de su estatus. Un caballero llevaba la espada colgando de su cintura incluso cuando no llevara armadura. La espada que se ilustra aquí es una espada larga de mandoble.

El caballero
montado

Un caballero sobre su cabalgadura era por mucho el soldado más poderoso y temido de la Edad Media. Su caballo de guerra tenía que ser fuerte, valiente y también ágil. En la batalla, el caballero era más efectivo cuando embestía, pero con su pesada armadura resultaba muy vulnerable si lo derribaban de su caballo, o si sus enemigos pasaban por debajo del caballo y lo apuñalaban. Para evitarlo, se entrenaba a los caballos para cocear y zigzaguear cuando estaban rodeados por soldados de infantería. Junto con su armadura y su espada, el caballo de guerra era la posesión más valiosa de un caballero. Un buen caballo de guerra podía costar 20 veces más que un caballo común, y muchos caballeros tenían más de uno.

Cabalgando a la guerra

Cuando viajaba, el séquito de un caballero incluía a sus caballos de guerra, un caballo de carga para llevar su armadura y sus pertenencias, y un palafrén o caballo de viaje en el cual montaba. Su paje guiaba a los caballos de guerra.

HERRADURAS, ESTRIBOS Y ESPUELAS

Para un caballero no era suficiente tener un equipo de caballos bien entrenados; cada uno necesitaba muchos accesorios para ser útil. Los talabarteros elaboraban sillas, correas y riendas de piel, mientras que los herreros, que se encontraban en cualquier pueblo, aldea o castillo, hacían el equipo de hierro y acero.

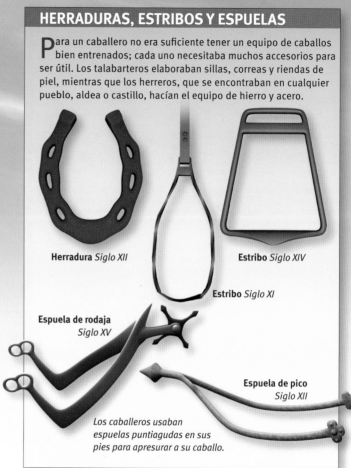

Herradura *Siglo XII*

Estribo *Siglo XIV*

Estribo *Siglo XI*

Espuela de rodaja *Siglo XV*

Espuela de pico *Siglo XII*

Los caballeros usaban espuelas puntiagudas en sus pies para apresurar a su caballo.

Testera *La parte más importante de la armadura de un caballo era la testera, que protegía la cara del caballo.*

Aquí viene la caballería
Aquí el caballero está preparado para la batalla como si estuviera en un territorio hostil, pero su escudo y sus armas aún los carga el escudero. La coraza metálica para los caballos se hizo común a partir del siglo XV.

Capizana *La capizana se componía de placas de metal traslapadas y cubría el cuello del caballo.*

Seguro y a salvo *La elevada perilla (enfrente) y el borrén trasero (atrás), proporcionaban al caballero mayor seguridad en la batalla.*

Bien atado *La cincha era una gruesa correa que iba alrededor del pecho del caballo.*

Silla de guerra
Las sillas de guerra tenían que estar muy bien ajustadas para asegurar que no se movieran con el peso de un caballero completamente armado.

Grupera *La grupera protegía la grupa del caballo.*

Flanqueras *Las flanqueras protegían los costados del caballo debajo de la silla.*

Pechera *El pecho del caballo estaba cubierto por la pechera.*

Las justas:
prácticas para la guerra

Los caballeros practicaban constantemente el combate a pie o a caballo para prepararse para la guerra. Del siglo XII en adelante, estos entrenamientos se convirtieron en un entretenimiento muy popular: se reunían caballeros de todas partes para ver quién era el guerrero más hábil de todos. El evento más emocionante era la justa, cuando dos caballeros cargaban entre ellos montados sobre caballos y sosteniendo lanzas. Los caballeros podían morir en las justas, pero valía la pena el riesgo si querían ser considerados caballeros valientes y hábiles. Para los caballeros con poco dinero o de familias sin importancia, las justas eran el camino de la fama y la riqueza.

HERÁLDICA

Como todos los caballeros parecían iguales en su armadura, empezaron a pintar diseños de colores y dibujos en sus escudos para ser reconocidos en las batallas. A esto se le conoce como heráldica y es algo de la Edad Media que nosotros vemos a diario en el mundo moderno.

Escudos de armas
Las pinturas y diseños heráldicos se conocían como blasones. Aquí abajo hay ocho blasones, pero existen cientos más.

Jefe

Palo

Bandado

Cabrio o Chevron

Cruzado

Oleado

León rampante

Cisne caminante

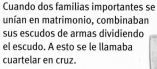

Cuando dos familias importantes se unían en matrimonio, combinaban sus escudos de armas dividiendo el escudo. A esto se le llamaba cuartelar en cruz.

Armas del esposo

Armas de la esposa

Choque de caballeros

Aquí, dos caballeros están en una justa frente
al público de las tribunas. Cabalgan en lados
opuestos de una barrera para mantenerse en
su carril. El caballero de rojo ha ganado puntos
por romper su lanza contra su oponente y por
derribar al caballero azul de su caballo.

Hacha contra hacha

Esta ilustración francesa del siglo XV muestra dos
caballeros a punto de pelear con hachas de pelea
sin filo, frente a una audiencia de nobles. Los dos
hombres que se encuentran a los lados son los
jueces que se aseguraban de que los caballeros
obedecieran las reglas.

1500 d.C.

La Torre de Londres, Inglaterra:
Un castillo de reyes

En el año de 1066, los franceses de Normandía conquistaron Inglaterra. El rey normando Guillermo el Conquistador escogió Londres como su capital. Para controlar la ciudad, decidió construir una gran torre en la esquina de las antiguas murallas romanas, que sería conocida como la Torre Blanca, por el color de sus piedras. Durante los tres siglos siguientes, el enorme complejo del castillo, llamado la Torre de Londres, se construyó alrededor de la Torre Blanca, protegido con murallas y un foso. Originalmente, este castillo era el centro del poder real y el refugio de la familia real en tiempos inestables. Más tarde se convirtió en una temible prisión para los enemigos del Estado y en un almacén de armas y tesoros.

1400 d.C.

1300 d.C.

1200 d.C.

1100 d.C.

1000 d.C.

CONSTRUCCIÓN DE LA TORRE BLANCA

Castillo capital
Esta es una vista aérea de la Torre de Londres en el año de 1600. En aquel tiempo, el complejo del castillo incluía los aposentos reales, una iglesia con cementerio, la casa de moneda real, un almacén para pólvora y el arsenal real: enormes depósitos y talleres donde se fabricaban cañones.

Perdiendo la cabeza
La decapitación normalmente se reservaba para los nobles acusados de traición, y generalmente se llevaba a cabo en Tower Hill, justo afuera de las murallas del castillo. La realeza tenía más suerte: eran ejecutados en la privacidad de las tierras del castillo.

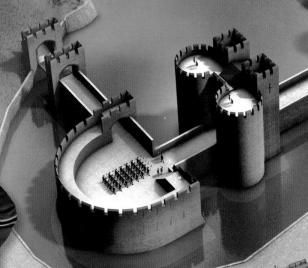

LA TORRE HOY EN DÍA

La Torre de Londres todavía es una fortaleza real, con una guarnición y un arsenal. Miles de personas la visitan cada año para ver uno de los sitios más históricos de Inglaterra.

Tesoros de la Torre Las Joyas de la Corona y otros tesoros, se guardan dentro de la Torre, en una bóveda de seguridad construida para ese propósito.

Alabardero Una guarnición de Guardias Reales (popularmente conocidos como "alabarderos") cuidan la Torre y guían a los visitantes. Todos son soldados retirados.

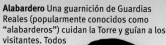

LA TORRE DE LONDRES: LOS DATOS

CUÁNDO SE CONSTRUYÓ: **Alrededor de 1100**

DÓNDE SE CONSTRUYÓ: **En Londres, Inglaterra**

QUIÉN LA CONSTRUYÓ: **Guillermo el Conquistador**

MATERIALES: **Piedra caliza**

TAMAÑO: **La Torre Blanca: 33 por 36 metros; complejo del castillo: 7.3 hectáreas**

La puerta de los traidores *Los prisioneros destinados a la Torre de Londres eran llevados en bote por el río Támesis y entraban por esta puerta.*

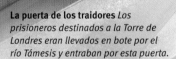

Estirar, estirar

La tortura por estiramiento en el potro, para conseguir una confesión, fue legal en Inglaterra hasta 1640. La Torre era el lugar usual para interrogar a los sospechosos de traición.

1500 d.C.

Krak des Chevaliers, Siria:
la roca del caballero

Se piensa que el castillo cruzado de Krak des Chevaliers ("fortaleza de los caballeros") podría ser uno de los mejores castillos del mundo. Se encuentra sobre un paso estratégico entre las montañas que alguna vez marcaron la frontera de los reinos cruzados. Originalmente fue una pequeña fortaleza árabe, tomada por los Caballeros Hospitalarios en el año de 1142, quienes la reconstruyeron a gran escala. Era tan fuerte que incluso el gran general Saladino, quien arrebató Jerusalén a los cruzados, decidió no atacarla. En 1271, cuando la mayoría de los reinos cruzados habían caído, los caballeros recibieron una carta mediante una paloma mensajera, supuestamente de su comandante en Trípoli, ordenándoles que se rindieran. La carta era un engaño y así el gran castillo se perdió por una trampa.

KRAK DES CHEVALIERS: LOS DATOS

CUÁNDO SE CONSTRUYÓ: En1031 (fortaleza original), c.1150-1250 (reconstrucción de los cruzados)

DÓNDE SE CONSTRUYÓ: Cerca de Homs, Siria

QUIÉN LA CONSTRUYÓ: El emir de Alepo (construcción original), los Caballeros Hospitalarios (reconstrucción de los cruzados)

MATERIALES: Piedra caliza y basalto

TAMAÑO: 200 por 140 metros; 3 hectáreas

1400 d.C.

1300 d.C.

1250 d.C.

RECONTRUCCIÓN DE LOS CRUZADOS

1150 d.C.

1100 d.C.

CONSTRUCCIÓN DE LA FORTALEZA

1031 d.C.

1000 d.C.

Acueducto *Un acueducto de piedra traía el agua de un manantial cercano hasta unos depósitos enormes entre las murallas exteriores y las interiores.*

Caballeros Hospitalarios

Los Caballeros Hospitalarios fueron una orden religiosa de caballeros que juraban cuidar y defender a los peregrinos que iban a Tierra Santa.

Vista superior

El castillo interior era utilizado para las ceremonias y los asuntos oficiales, e incluía una capilla de piedra fina. Bajo el castillo interior y detrás de las murallas exteriores había habitaciones para caballeros y visitantes, almacenes y establos.

Molino de viento *Se construyó un molino de viento para moler harina fresca para la guarnición incluso durante un sitio prolongado.*

Entre por aquí *Había sólo una forma de entrar al núcleo del castillo: un angosto y retorcido pasillo protegido en todos los puntos por troneras para flechas y rendijas de la muerte.*

Infranqueable *La muralla del patio interior, que estaba expuesta a terreno más alto donde podían colocarse catapultas del enemigo, tenía 30 metros de alto y 25 metros de grosor.*

REFUGIO EN EL CASTILLO

A pesar de que la guarnición normal del castillo era de sólo unas cuantas docenas de caballeros, Krak des Chevaliers estaba diseñado para albergar a más de dos mil soldados y refugiados durante un año o más. Para poder hacer esto había amplios almacenes abovedados repletos de comida, grandes depósitos de agua y establos para más de quinientos caballos.

1500 d.C.

Castel del Monte, Italia:
un acertijo de piedra

En lo alto de un monte en un rincón remoto y tranquilo del sur de Italia, se ubica uno de los castillos más extraordinarios y misteriosos del mundo. Fue construido alrededor de 1240 por Federico II, sacro emperador romano, que fue uno de los hombres más poderosos y cultos de su tiempo. Podía hablar siete idiomas y estaba versado en la sabiduría de Occidente, del mundo árabe y de Grecia y Roma clásicas. Castel del Monte fue una expresión en piedra de su conocimiento y filosofía. Estaba diseñado en armonía con muchos principios geométricos y matemáticos al igual que con el movimiento del sol durante el año. Muchos de los símbolos integrados al castillo se consideraban de conocimiento secreto, y no sobrevivieron registros que nos digan lo que pueden significar. Pero se conserva el castillo, que nos desafía a revelar sus misterios.

1400 d.C.

1300 d.C.

CONSTRUCCIÓN DE CASTEL DEL MONTE

1240 d.C.

1200 d.C.

1100 d.C.

1000 d.C.

UN EJERCICIO GEOMÉTRICO

En la época de Federico, el redescubrimiento de la filosofía árabe y griega tuvo una gran influencia en la arquitectura, matemáticas y música. Se pensaba que los números y la geometría reflejaban tanto el mundo real como el celestial. Una construcción resultaba mejor (más santa, poderosa y bella) si su diseño se basaba en ciertos números y formas.

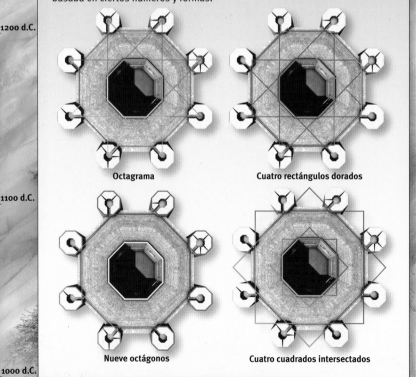

Octagrama

Cuatro rectángulos dorados

Nueve octágonos

Cuatro cuadrados intersectados

SUIZA
Venecia
Florencia
ITALIA
Mar Adriático
Roma
Castel del Monte
Mar Tirreno
Palermo
Túnez
SICILIA
Mar Mediterráneo
TÚNEZ

CASTEL DEL MONTE: LOS DATOS

CUÁNDO SE CONSTRUYÓ: Alrededor de 1240

DÓNDE SE CONSTRUYÓ: En Apulia, Italia

QUIÉN LO CONSTRUYÓ: Federico II, sacro emperador romano

MATERIALES: Piedra caliza y mármol

TAMAÑO: 55 metros de diámetro

En armonía perfecta

El plano del castillo está basado en el octágono. Esta figura representa el punto medio entre el cuadrado (la Tierra) y el círculo (la esfera celestial). Utilizando el pie romano, todos los elementos de la planta y las edificaciones son múltiplos de doce, considerado por mucho tiempo como uno de los números de la buena suerte.

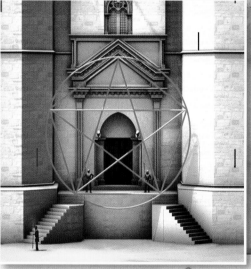

Puerta pentagrama

La entrada está diseñada en torno a las proporciones y los ángulos de un pentagrama. Su estrella de cinco puntas ha sido un símbolo importante desde la época del antiguo Egipto.

Puesto en uso

Castel del Monte tenía una aplicación práctica. Federico II lo utilizaba como un refugio de caza. Más tarde, se usó como prisión.

Federico II
Al mismo tiempo que
era emperador del Sacro
Imperio Romano, Federico II
fue rey de Sicilia, del sur de
Italia y partes de Alemania.

1500 d.C.
1400 d.C.
1300 d.C.
1271 d.C.
SE FINALIZA LA CONSTRUCCIÓN
1200 d.C.
1100 d.C.
1000 d.C.

Caerphilly, Gales:
protegido por el agua

A menudo se denomina a Gales "la tierra de los castillos". Los siglos de luchas por controlar este rincón de Gran Bretaña dejaron un legado de cientos de castillos, algunos de los cuales representan la cumbre de su diseño. En 1266, Gilbert de Clare, uno de los grandes nobles de Inglaterra, se apoderó del territorio de Llewelyn el Último, "Último" porque fue el último príncipe de un Gales independiente. Gilbert empezó a construir un vasto castillo nuevo en Caerphilly para controlar sus tierras. Llewelyn lo atacó, pero fue rechazado, y el castillo se terminó de construir poco después. Muy pronto, Caerphilly perdió su importancia como fortaleza, pero se mantuvo como un centro administrativo y fue atacado durante las guerras civiles de las décadas de 1320 y 1640.

LA CONQUISTA DE GALES

Poco tiempo después de que los normandos conquistaran Inglaterra en el año de 1066, iniciaron la conquista del territorio de Gales. Para asegurar esas tierras, los señores normandos construyeron muchos castillos (marcados en púrpura en la parte inferior). Caerphilly (en rojo) es el más grandioso de esos castillos. Más tarde, los galeses del norte atacaron y el rey Eduardo I de Inglaterra lanzó dos nuevas invasiones, construyendo sus propios castillos al avanzar y reconstruyendo los castillos galeses para asegurar la conquista (los castillos amarillos del mapa). Para 1300, todo Gales había sido capturado y ocupado por los ingleses normandos.

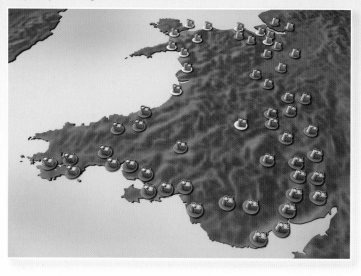

Hornabeque *Las defensas exteriores incluían un recinto amurallado llamado hornabeque, que pudo haber estado destinado a servir como lugar de refugio para los aldeanos locales durante un sitio.*

Isla fortaleza

Gilbert de Clare fue testigo del sitio de seis meses al Castillo de Kenilworth, en Inglaterra, en los años de 1265 y 1266, y le impresionó lo bien que las defensas de agua habían funcionado ahí. Para su propio castillo seleccionó un lugar con un arroyo, que después utilizó para crear un dique enorme y fortificado para defender el castillo con agua.

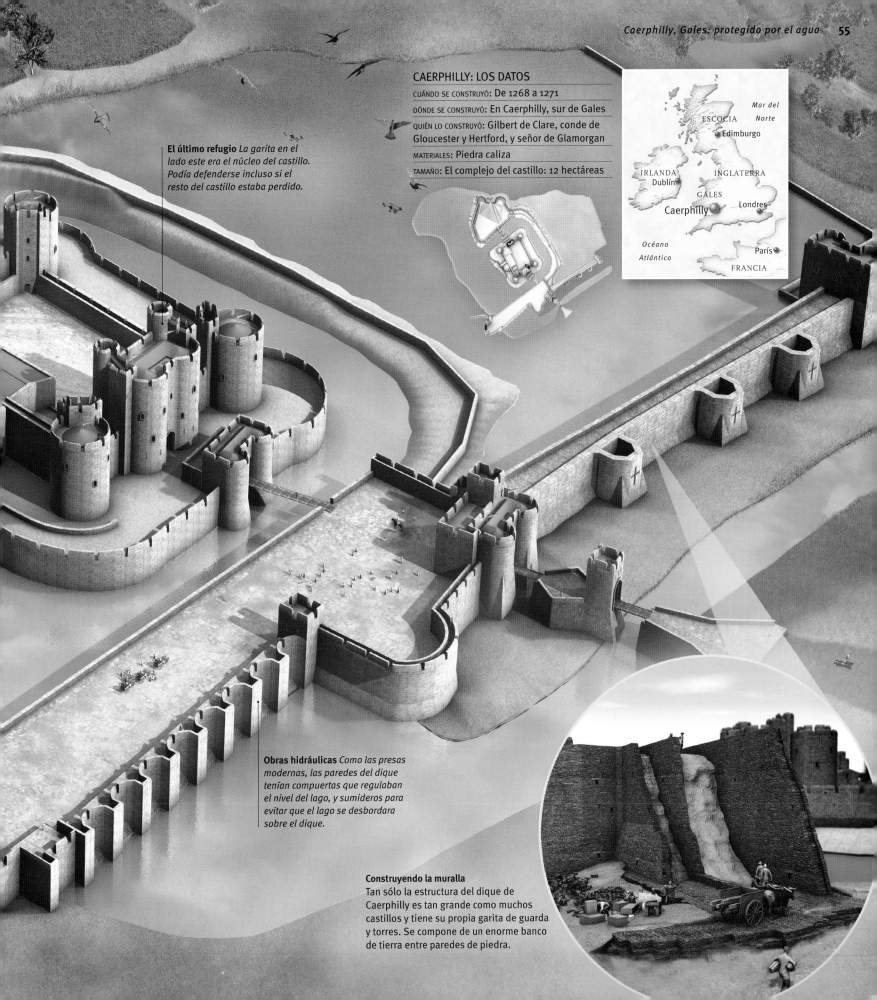

El último refugio *La garita en el lado este era el núcleo del castillo. Podía defenderse incluso si el resto del castillo estaba perdido.*

CAERPHILLY: LOS DATOS

CUÁNDO SE CONSTRUYÓ: De 1268 a 1271

DÓNDE SE CONSTRUYÓ: En Caerphilly, sur de Gales

QUIÉN LO CONSTRUYÓ: Gilbert de Clare, conde de Gloucester y Hertford, y señor de Glamorgan

MATERIALES: Piedra caliza

TAMAÑO: El complejo del castillo: 12 hectáreas

ESCOCIA
Mar del Norte
Edimburgo
IRLANDA
Dublín
INGLATERRA
GALES
Caerphilly
Londres
Océano Atlántico
París
FRANCIA

Obras hidráulicas *Como las presas modernas, las paredes del dique tenían compuertas que regulaban el nivel del lago, y sumideros para evitar que el lago se desbordara sobre el dique.*

Construyendo la muralla
Tan sólo la estructura del dique de Caerphilly es tan grande como muchos castillos y tiene su propia garita de guarda y torres. Se compone de un enorme banco de tierra entre paredes de piedra.

1500 d.C.

DÉCADA DE 1420: CONSTRUCCIÓN DEL FUERTE PRINCIPAL

Mont-Saint-Michel, Francia:
un castillo en el mar

Mont-Saint-Michel es una rocosa isla de marea que se encuentra frente a la costa de Normandía en el norte de Francia. Hubo una abadía en la isla desde el año 708. Incluso sin murallas, el mar lo convertía en un lugar seguro, pero su posición estratégica animó a los monjes y a los reyes de Francia a fortificar la isla como un castillo. Durante la Edad Media, la abadía se expandió y se construyeron nuevos edificios sobre los antiguos (que sobrevivieron como cimientos y sótanos). Más abajo en el peñasco, las casas y los talleres de los sirvientes de la abadía llegaron a convertirse en un pequeño pueblo, protegido por fuertes muros y por el mar, que rodeaba la isla dos veces al día.

MONT-SAINT-MICHEL: LOS DATOS

CUÁNDO SE CONSTRUYÓ: La abadía se estableció en 708, las fortificaciones principales se construyeron en la década de 1420

DÓNDE SE CONSTRUYÓ: En Normandía, Francia

QUIÉN LO CONSTRUYÓ: La orden de San Benito

MATERIALES: Granito

TAMAÑO: 4 hectáreas

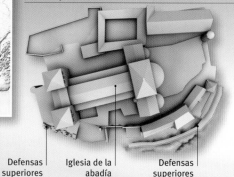

Defensas superiores | Iglesia de la abadía | Defensas superiores

1300 d.C.

MONT-SAINT-MICHEL

Bajo ataque

Durante la Guerra de los Cien Años entre Francia e Inglaterra (que en realidad duró 116 años, desde 1337 hasta 1453), Mont-Saint-Michel fue sitiada por los ingleses durante muchos años. Afortunadamente para los franceses, la marea no permitía los ataques de cerca, y las armas inglesas se encontraban muy lejos como para resultar eficaces.

Sitio en el mar

En esa época, los barcos eran pequeños e inestables, pero una pequeña flota inglesa fue capaz de bloquear la isla hasta que una flota de barcos franceses la expulsó.

Una explosión del pasado
Los cañones de este periodo se construían con tubos de hierro unidos. Era muy común que explotaran si no se medía bien la pólvora.

1200 d.C.

Campaña solitaria *El ejército inglés era pequeño, de unos cuantos centenares de hombres. Les resultaba muy difícil sitiar la isla y protegerse de los ataques franceses desde tierra firme.*

1100 d.C.

1000 d.C.

Negocio riesgoso
Mont-Saint-Michel fue un importante lugar de peregrinación religiosa, pero cruzar por la marea baja podía ser un viaje riesgoso. Este dibujo de un manuscrito francés del siglo XV muestra a la virgen María salvando a una dama embarazada de ahogarse cuando la aisló la marea.

Más cerca de Dios *Una aldea (que sobrevive en su mayor parte) se apiñaba apretada sobre plataformas cortadas en el costado del peñasco.*

Una iglesia en la colina *La iglesia de la abadía se sostenía en una plataforma artificial, debajo de la cual se hallaban los comedores, dormitorios, cocinas y almacenes.*

Villa alumbrada *En 1433, la artillería inglesa logró incendiar algunas de las casas. Esta fue la señal para lanzar un asalto masivo a la isla, pero los atacantes fueron derrotados y el sitio terminó.*

Fuerte Tombelaine
Los ingleses construyeron un pequeño castillo de madera en una isla llamada Tombelaine, que se ubica un poco más allá de Mont-Saint-Michel. Cerca de 90 soldados permanecían ahí asistiendo al sitio.

Barricada
Los muros defensivos no eran muy altos, pero junto con el mar, proveían una barrera eficiente.

C. 1459: RECONSTRUCCIÓN

1400 d.C.

POENARI

1300 d.C.

DÉCADA DE 1220: CONSTRUCCIÓN DEL TORREÓN CENTRAL

1200 d.C.

1100 d.C.

1000 d.C.

DRÁCULA: MITO Y REALIDAD

Vlad III fue gobernante de Walachia, en Rumania, tres veces entre 1448 y 1476. Sus enemigos eran los turcos, que trataban de controlar esa región, y su nobleza, que se resistía a su mandato. Personalmente era cruel y disfrutaba de las ejecuciones de miles de sus súbditos. Fue conocido como Vlad Tepas Dracula (Vlad el Empalador, Hijo del Dragón). El escritor Bram Stoker tomó el nombre de Drácula para su novela, pero el personaje del Conde Drácula tiene muy poco en común con Vlad III.

Apetito de terror

Este grabado alemán del siglo XVI ilustra a Vlad III disfrutando una comida entre sus víctimas empaladas.

La cara de un monstruo

Este retrato es una de las representaciones más antiguas de Vlad III, pintado pocos años después de su muerte.

El trabajo de los condenados

Cuando Vlad III llegó al poder en 1456, rápidamente empaló casi a todas las familias nobles de su principado porque las culpaba de las muertes de su padre y su hermano. Dejó con vida a algunos nobles y los usó como esclavos en la reconstrucción de Poenari. Se dice que trabajaban hasta que su ropa se les caía por la espalda.

Poenari, Rumania:
el castillo de Drácula

El Castillo Poenari, ubicado en lo alto de las montañas de Rumania, fue construido por primera vez alrededor de 1220 pero quedó en ruinas. Cuando Vlad III se convirtió en príncipe de Walachia en 1456, decidió reconstruir el castillo como su casa y refugio. El castillo consistía en un patio amurallado simple y estrecho, con torres y un salón construidos en parte con piedra y en parte con ladrillos. Ocupaba un pequeño espacio en la punta de un peñasco rodeado de barrancos. A pesar de que hoy en día está en ruinas, es posible ver las recámaras y el salón utilizados por Vlad III. Según la leyenda, su primera esposa se arrojó por el barranco para evitar ser capturada por los turcos, mientras Vlad III escapaba por un túnel secreto.

POENARI: LOS DATOS

CUÁNDO SE CONSTRUYÓ: En la década de 1220 (torreón central), reconstruido y ampliado alrededor de 1459

DÓNDE SE CONSTRUYÓ: Montañas Făgăraş, Rumania

QUIÉN LO CONSTRUYÓ: Vlad III

MATERIALES: Piedra y ladrillos

TAMAÑO: 65 por 12 metros

Torreón original

Ampliaciones de Vlad III

Países y castillos

Dover

Inglaterra

1 DOVER, KENT

Iniciado después de la conquista de los normandos y mantenido en reparación defensiva hasta 1945, este castillo presenta los estilos de todos los periodos.

2 RICHMOND, NORTE DE YORKSHIRE

Un salón y un patio diseñados hacia 1080, y un torreón gigante agregado hacia 1170.

Stirling

Escocia

3 STIRLING, STIRLING

Castillo medieval reconstruido hacia 1500 y ahora restaurado espectacularmente a su estado original.

4 BOTHWELL, LANARKSHIRE

Un gran castillo con un enorme torreón, construido a principios del siglo XIII y reconstruido en una escala menor después de la guerra de independencia de Escocia.

Caernarfon

Gales

5 CAERNARFON, GWYNEDD

Fue el más grande y costoso de los castillos de Eduardo I, construido para semejar las murallas de Constantinopla. Conformó el centro administrativo del nuevo reino inglés de Gales.

6 MANORBIER, PEMBROKESHIRE

Castillo con una torre del siglo XII, un salón y otras construcciones más recientes dentro del patio, dominando un pequeño puerto.

Blarney

Irlanda

7 BLARNEY, CORK

Gigantesca casa torre de principios del siglo XV, ubicada en un patio de armas. Blarney es famoso por la Piedra de Blarney, que tiene la reputación de dar "el don del habla" a todo aquel que la bese.

8 CARRICKFERGUS, ANTRIM

Castillo normando muy bien conservado, construido hacia 1200 como parte de la conquista inglesa de Irlanda.

Gaillard

Francia

9 GAILLARD, NORMANDÍA

Sólido castillo sobre el Siena, para protegerse del avance de Rouán y Normandía. Construido en dos años por Ricardo Corazón de León, 1196-1198.

10 LOCHES, INDRE-ET-LOIRE

Alta torre de los años 1020-30, rodeada por un castillo de finales del siglo XII. Construido en una ciudad muy fortificada que incluía un palacio utilizado por los reyes franceses.

Gravensteen

Bélgica

11 GRAVENSTEEN, GANTE

Gran castillo construido en 1180 y utilizado como sede de los condes de Flandes.

12 BEERSEL, BRUSELAS

Beersel fue construido entre 1300 y 1310 para defender Bruselas, y reconstruido en ladrillo en 1489, con puertos de artillería primitiva en las enormes torres.

Wartburg

Alemania

13 WARTBURG, TURINGIA

Castillo construido a mediados del s. XII, los edificios aledaños (incluyendo un palacio romanesco) se construyeron hasta el s. XVII.

14 MARKSBURG, RHEINLAND-PFALZ

Markburg se comenzó a construir en 1117 y se conserva casi perfectamente en su estado medieval.

Hochosterwitz

Austria

15 HOCHOSTERWITZ, CARINTIA

Castillo medieval (mencionado por primera vez en 860), continuamente fortificado hasta convirtirse en palacio en el siglo XVI.

16 FALKENSTEIN, AUSTRIA BAJA

Castillo construido en una alta cima en 1050, permaneció como fortaleza hasta que fue desmantelado en el siglo XVII.

Alcázar de Segovia

España

17 ALCÁZAR DE SEGOVIA, CASTILLA Y LEÓN

Este castillo sobre una colina fue construido primero por los moros y reconstruido durante los siglos XV y XIX. Hogar de muchos reyes medievales de España.

18 PALACIO ALJAFERÍA, ARAGÓN

Este enorme castillo sirvió como palacio, fuerte de guarnición y escuela militar durante casi mil años desde su construcción en el siglo IX.

Castelvecchio

Italia

19 CASTELVECCHIO, VÉNETO

Fortaleza de doble patio construida en la década de 1350, para defender y controlar la ciudad de Verona. Estuvo en uso hasta 1925.

20 VOLTERRA, TOSCANA

Un inmenso castillo construido en el sitio de una ciudad etrusca prerromana.

Acrocorinto

Grecia

21 ACROCORINTO, PELOPONESO

Ciudadela antigua construida alrededor del 700 a.C., reconstruida muchas veces y continuamente fortificada hasta el siglo XVI.

22 MISTRAS, PELOPONESO

Comenzado a construir en 1249, este castillo en la roca domina la ciudad desierta de Mistras, que tiene palacios en ruinas y 20 iglesias.

Nyborg

Dinamarca

23 NYBORG, FYN

Castillo de ladrillo del siglo XIV, reconstruido en el XVI como palacio real y sede de la asamblea de los nobles daneses durante 200 años.

24 KRONBORG, HOVEDSTADEN

Espacioso palacio de la Alta Edad Media con un enorme fuerte de artillería construido a su alrededor en los siglos XVI y XVII, es el sitio del castillo de Elsinore, famoso por *Hamlet*, de Shakespeare.

Bohus

Noruega

25 BOHUS, BOHUSLÄN

Ahora en territorio sueco, esta fortaleza fue construida en 1308 por los noruegos en su frontera y se defendió hasta mediados del siglo XVII, con bastiones de artillería.

26 CHRISTIANSØ, KRISTIANSAND

Fortaleza comenzada a construir en 1635 y siguió en uso hasta la década de 1940 como un fuerte de artillería que vigilaba el mar.

Kalmar

27 Suecia

KALMAR, SMÅLAND

Kalmar comenzó a construirse en el s. XII y fue reconstruido en la década de 1280. En el s. XVI fue restaurado como palacio real.

28 MALMÖHUS, SCANIA

El castillo de la ciudad de Malmö fue construido por primera vez en 1434 y demolido a principios del siglo XVI. El rey Christian III de Dinamarca edificó un nuevo castillo en su lugar en la década de 1530.

República Checa

Karlštejn

29 KARLŠTEJN, BOHEMIA CENTRAL

Karlštejn fue construido después de 1348 por el sacro emperador romano, incluía un palacio y una gran torre.

Bran

Rumania

30 BRAN, CONDADO DE BRAŞOV

Construido por los caballeros de la orden teutónica en 1212. Se conoce como el "Castillo de Drácula" y ha sido utilizado como escenario para las películas de Drácula.

Eslovaquia

Orava

31 ORAVA, ŽILINA

Construido en un peñasco en el siglo XIII, es uno de los castillos mejor conservados de Eslovaquia.

Buda

Hungría

32 BUDA, CONDADO DE PEST

La fortaleza medieval original del castillo de Buda fue destruida en un sitio en 1686, y reconstruida subsecuentemente en estilo barroco.

Polonia

Wawel

33 WAWEL, CRACOVIA

Este palacio fortificado fue construido en el s. XVI sobre una colina que había sido utilizada como sede del gobierno desde el s. XI.

Pskov

Rusia

34 PSKOV, PSKOV OBLAST

Esta fortaleza protegía la capital de la república medieval de Pskov. Fue sitiada más de 40 veces en la historia, sólo dos veces con éxito.

Turquía

Roumeli Hissar

35 ROUMELI HISSAR, ESTAMBUL

Castillo construido cerca del Bósforo para proteger la ciudad de Constantinopla y atemorizar a la población local.

Ciudadela de Saladino

Siria

36 CIUDADELA DE SALADINO, LATAKIA

Anteriormente conocido como Saone, este castillo de los Caballeros Hospitalarios fue construido en un sitio estratégico que ha estado fortificado por más de dos mil años.

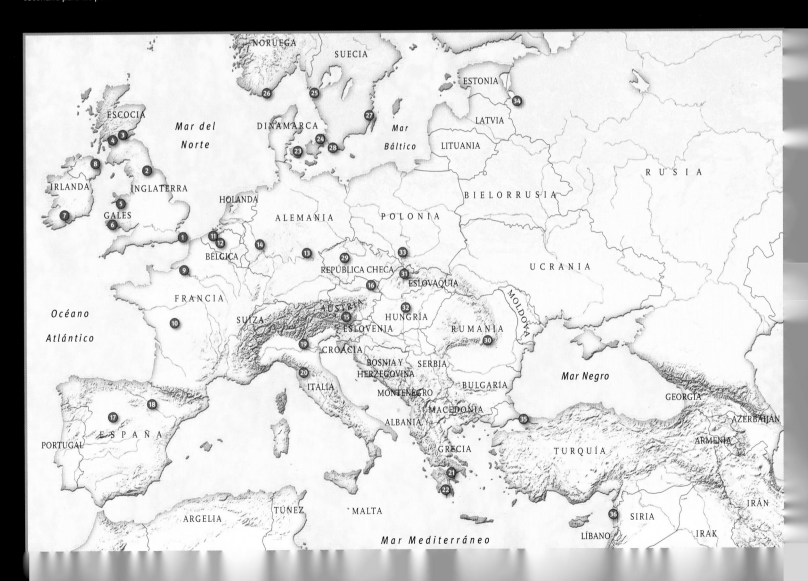

Glosario

almenaje Barrera defensiva en la parte superior de las murallas de un castillo, generalmente adornada con secciones altas llamadas merlones, separados por canales llamados troneras. Los defensores podían disparar contra los atacantes por las troneras mientras eran protegidos por los merlones. Almenar es el nombre dado al proceso de fortificación.

arco largo Un arco de mano de casi 1.8 metros de longitud, introducido durante la Edad Media para mejorar el alcance y la fuerza de los tiros. El mayor alcance de estos arcos era de 360 metros, y a una distancia corta podían penetrar las armaduras de placas.

armadura de placas Armadura compuesta de placas de metal hechas para ajustarse a todo el cuerpo, con goznes en las uniones y cota de malla en la parte posterior de las rodillas y los codos. Proporcionaba una mejor protección que los antiguos mantos de cota de malla, a los que remplazaron ampliamente.

armero Herrero experto en construir armaduras.

arquero Soldado hábil en el uso del arco y la flecha.

artillería Nombre originalmente dado a todas las máquinas de guerra, incluyendo las catapultas. Con el paso del tiempo, pasó a referirse a los cañones y otras armas que disparaban proyectiles con pólvora.

aspillera Abertura pequeña en la muralla del castillo, diseñada para dificultar la entrada de los disparos de los atacantes y permitir a los defensores disparar hacia fuera.

ballesta Arma en la que el arco estaba colocado horizontalmente sobre un mango con la forma de una culata de rifle. Esto permitía tirar de la cuerda del arco hacia atrás mediante una polea y lograr mayor tensión que en un arco normal. Como resultado, las saetas de las ballestas eran lanzadas con mucha fuerza.

caballería Era la forma de vida deseada por los caballeros. Combinaba el honor con la habilidad en el combate, aptitud para cabalgar, generosidad en la victoria y buenos modales en las relaciones sociales.

caballero Soldado experto que peleaba montado sobre un caballo. Gradualmente se convirtió en un término de honor pues los caballeros se volvieron poderosos terratenientes bajo el feudalismo.

campesino Término que literalmente significa "hombre del campo". Se refiere aquí a los granjeros y trabajadores más pobres de la Edad Media. Las palabras medievales eran más específicas e incluían: "esclavo", "villano", "jornalero" y "siervo", dependiendo del estatus real de la persona descrita.

cantero Persona hábil para cortar y tallar la piedra. El jefe de la construcción de un castillo o una iglesia era conocido como maestro albañil.

castillo concéntrico Tipo de castillo con dos círculos de murallas defensivas. Los defensores en las altas murallas internas podían disparar flechas contra los enemigos por encima de algunas secciones de los muros exteriores más bajos.

catapulta Cualquiera de las máquinas que lanzaban proyectiles, comunes desde los tiempos de los romanos. Las catapultas utilizaban brazos para lanzar objetos, accionados con tensores gigantescos, por contrapesos o por la tensión de cuerdas hechas de cáñamo o cuero. Fueron remplazadas por los cañones en el siglo XV. *Véase onagro y mandrón.*

cota de malla Armadura confeccionada forjando pequeños anillos de metal hasta confeccionar un manto entrelazado y flexible. La cota de malla era resistente contra las espadas y las hachas pero ofrecía menos protección contra las flechas.

Cruzadas Una serie de nueve guerras peleadas de 1096 a 1291, generalmente aprobadas por el Papa, con el objetivo de recuperar Jerusalén y la Tierra Santa del dominio musulmán. Vistas como una guerra santa, los soldados de Occidente llevaban una cruz como emblema (en latín crux, de ahí "cruzada") en sus ropas y escudos.

escudero Joven, que anteriormente fue paje, que acompañaba a un caballero y ayudaba a cuidar al caballo del caballero, su armadura y sus armas. Después de ser aprendiz de cinco a diez años, un escudero esperaba convertirse en caballero.

escudo de armas Diseños pintados en los escudos, o cosidos o pintados en ropa y banderas, utilizados para distinguir a un caballero de otros. Los matrimonios importantes se demostraban combinando dos o más escudos de armas en un solo diseño.

feudalismo Orden social mediante el cual el rey les daba tierra a sus señores, y ellos a sus seguidores, a cambio de su lealtad y servicio.

foso Zanja llena de agua, particularmente usada para proteger a los castillos construidos en sitios llanos. Evitaban que los atacantes se acercaran a la base de la muralla del castillo ya fuera en la superficie o cavando debajo de ella.

garita Torre o torres situadas a un lado de la puerta principal del castillo para controlar la entrada.

guarnición Cuerpo de soldados empleados permanentemente para defender un castillo en particular. La mayoría de los castillos tenían guarniciones de pocos hombres, pero eran defendidos durante los sitios por muchos más, que se agregaban durante los tiempos de guerra.

heráldica El sistema de utilización de símbolos y diseños en los escudos y las sobrevestes de los caballeros para que pudieran ser identificados en los torneos o durante las batallas. La palabra viene de "heraldo", que era la persona que decía los nombres de los caballeros en las reuniones y tenía que ser un experto en ese sistema.

herrero Trabajador que forjaba y daba forma a objetos hechos de hierro. Su ocupación principal era elaborar herraduras.

infantería Soldados que peleaban a pie, en contraste con los caballeros y los hombres de armas montados, que cabalgaban y peleaban sobre un caballo.

lanza Pesada barra de madera, de hasta 4.3 metros de longitud, que los caballeros cargaban en las batallas y torneos.

mandrón Era la máquina de asedio más grande para lanzar proyectiles. El mandrón se componía de una viga con un pesado contrapeso colgado en un extremo y un cesto cargado con una pesada piedra u otro proyectil, en el otro. Cuando la cuerda de seguridad se soltaba, el contrapeso levantaba violentamente el brazo y lanzaba el proyectil contra el blanco.

máquinas de asedio Nombre dado a una gran variedad de máquinas de madera diseñadas para derribar las murallas y desmoralizar a los defensores. Entre ellas están las catapultas, mandrones, onagros y torres de sitio.

mechinal Estructura que sobresalía de la parte superior de la muralla del castillo. Los huecos en los mechinales permitían a los defensores disparar flechas o arrojar misiles a los atacantes que se encontraban abajo.

minar Táctica de asedio en la cual los mineros cavaban túneles por debajo de los cimientos de un muro o una torre. Cuando el túnel era terminado, se encendía paja o materiales empapados con aceite para derrumbar los soportes del túnel, y si todo salía de acuerdo con lo planeado, el muro en la superficie se agrietaría o podía colapsarse.

moros Grupo de musulmanes del noroeste de África que conquistaron grandes partes de España y Portugal durante la Baja Edad Media.

noble La clase más alta de terratenientes bajo el rey en la sociedad medieval. Los nobles en general provenían de unas cuantas docenas de grandes familias, comúnmente emparentadas con el rey. Muchos nobles eran además caballeros.

nombramiento Ceremonia en la que un escudero se convertía en caballero. Un noble o el rey tocaba los hombros del escudero con el canto de una espada, simbolizando su ascenso a caballero.

normandos Originalmente eran vikingos que se establecieron en el norte de Francia a principios del siglo X. Los normandos se asimilaron a la nobleza francesa del lugar y formaron una fuerte sociedad militar temida por toda Europa. Conquistaron Inglaterra, Sicilia y partes de Italia e Irlanda.

onagro Tipo de catapulta que era impulsado por la tensión de cuerdas o cuero retorcidos. Los onagros eran útiles para proyectiles relativamente pequeños, y disparaban a distancias cortas.

paje Jovencito, generalmente hijo de un caballero, que ha sido destinado a servir en la corte de un noble. Los pajes comenzaban a los ocho o nueve años de edad, y si tenían éxito podían llegar a ser escuderos en su adolescencia.

parapeto Barrera colocada en la parte superior de un muro que evita que la gente caiga desde el borde, generalmente coronada con almenas.

patio Explanada o recinto de un castillo. Generalmente los castillos concéntricos tenían un patio interior rodeado completamente por la muralla exterior.

puente levadizo Puente sobre un foso o un canal, que podía ser bajado para permitir el acceso o levantado para mantener alejados a los enemigos.

rastrillo Pesada puerta de madera enrejada, cubierta con hierro y elevada sobre el pasaje de entrada. Una vez abajo, era una formidable barrera y para romperla se requerían hachas.

reino Estado encabezado por un rey o una reina, llamado también monarquía. Hoy en día muchos países son monarquías, pero sus reyes y reinas tienen, en su mayoría, un poder simbólico.

rendijas de la muerte Una serie de aperturas en el techo de un espacio abovedado, como una entrada o pasaje, que permitía a los defensores disparar flechas o tirar proyectiles sobre los atacantes desde arriba.

salón Principal habitación para recepciones de un castillo, se usaba en los eventos formales, reuniones o banquetes.

señor Poderoso caballero o noble propietario de tierra que daba sustento a sus familiares y sirvientes, y a los campesinos que trabajaban la tierra para él. Los señores a menudo vivían en castillos.

siervo Granjero que estaba atado a la tierra y cuya vida era regulada por su señor. La palabra originalmente significaba esclavo (del latín servus), pero en la Edad Media el siervo tenía algunos derechos, aunque tenía prohibido abandonar su tierra.

sitio Ataque a un castillo rodeándolo e impidiendo que llegaran provisiones y refuerzos para los que estaban adentro. También se le llama asedio.

sobreveste Manto de tela ligera que se utilizaba sobre la armadura para protegerla de la lluvia y el polvo. La sobreveste se pintaba o bordaba con el escudo de armas de la casa del caballero.

torneo Simulacro de batalla en el cual los caballeros exhibían sus habilidades para pelear y cabalgar, en grupo o por parejas. Los torneos eran peligrosos, pero el vencedor podía ganar fama y riqueza, mientras que el escudo y la armadura del perdedor normalmente eran otorgados al ganador.

torre de sitio Una gran torre de madera sobre ruedas, con escaleras y plataformas de batalla en el interior, generalmente protegida con placas o con cuero mojado. Estaban diseñadas para llegar a lo alto de las murallas del castillo y colocarse contra los muros para permitir que los atacantes tomaran el castillo.

torreón La torre más grande de un castillo, generalmente era donde el señor tenía sus aposentos privados. Durante la Edad Media, el torreón era más comúnmente llamado "torre del homenaje".

torreta Pequeña torre construida en la parte superior de una torre más grande o una muralla, usada como puesto de vigilancia.

tronera Hueco en las almenas por el cual disparaban los defensores.

trovador Poeta o músico que cantaba o recitaba acompañado de un instrumento de cuerda. Algunos trovadores eran sirvientes de la corte de un noble; otros viajaban de un lugar a otro.

Índice

Créditos

El editor agradece a Alexandra Cooper por su contribución, y a
Puddingburn por el índice.

ILUSTRACIONES
portada Moonrunner Design (principal), GODD.com
(adicionales);
contraportada GODD.com
Spellcraft Studio e.K. 38-39, 46-47;
todas las demás ilustraciones GODD.com

MAPAS
Map Illustrations

FOTOGRAFÍAS
Clave a=arriba; i=izquierda; d=derecha; ai=arriba a la
izquierda; aci=arriba al centro a la izquierda: ac=arriba al
centro; acd=arriba al centro a la derecha; ad=arriba a la
derecha; ci=centro a la izquierda; c=centro; cd=centro a la
derecha. b=abajo; bi=abajo a la izquierda; bci=abajo al centro

a la izquierda; bc=abajo al centro; bcd=abajo al centro a la
derecha; bd=abajo a la derecha.

AA=The Art Archive; APL=Australian Picture Library;
BA=Bridgeman Art Library; CBT=Corbis; IS=iStock; MELP=Mary
Evans Picture Library; PIC=The Picture Desk; PL=photolibrary.com
8bi APL; **10**bd APL; **11**ad AA; **30**ad BA; **32**ad PIC; **37**ad PL; **40**bi BA;
47bd APL; **48**bc PL; bci, bi CBT; **53**ad AA; **57**ai MEPL; **58**ai MEPL;
ad BA; **60–61** iS

DISCARD